LE RETOUR
DE
L'HOMME OUBLIÉ

Cet ouvrage a été originellement édité
en langue américaine par PINNACLE BOOKS, INC.
à Los Angeles, Californie 90067 (Etats-Unis)
sous le titre :
RAGGEDY MAN

Dépôt légal:
Bibliothèque nationale du Québec
Bibliothèque nationale du Canada
Premier trimestre 1982

ISBN: 2-89132-615-6
G1312

WILLIAM D. WITTLIFF ET SARA CLARK

LE RETOUR
DE
L'HOMME OUBLIÉ

Roman

Traduit par Claude Yelnick

ÉDITIONS SÉLECT
MONTRÉAL

ÉDITIONS TRÉVISE
PARIS

A la femme qui fut Nita
et à l'enfant qui fut Harry

1

NITA LONGLEY EST DEBOUT CONTRE LA MOUSTI-
quaire[1] de devant, en plein soleil, toutes
les autres portes ouvertes derrière elle en enfilade. Elle repousse ses cheveux moites dans son
cou, essayant de trouver un filet de brise sous
le plafond bas de sa « cabane de chasseurs »,
comme on l'appelle. Ce nom est l'une des raisons
pour lesquelles elle ne se plaît pas dans ce loge-
ment où elle habite avec ses deux petits garçons.

La Southwest Consolidated Telephone Company est l'autre raison. La Compagnie est propriétaire non seulement de la maison, mais
surtout du taxiphone placé sur le mur derrière
Nita, et du standard avec l'appareil monté sur

---

1. La maison qu'habite Nita, au sud du Texas, est en bois,
surélevée, entourée d'une sorte de perron auquel on accède
par des marches, en bois elles aussi. Les portes sont doublées
d'un cadre muni d'une moustiquaire. Elle devait être jadis
un pavillon de chasse. On l'appelle « shotgun house » en américain. (*N.d.T.*)

son bras extensible, plus loin, dans la pièce du milieu que Nita appelle la « grande pièce ». La Compagnie est également propriétaire de Nita, ou du moins elle essaie. Quand Nita pense à la Compagnie du Téléphone, elle se voit sous l'aspect d'une petite souris blonde et fragile, sans défense, stupide, prise au piège derrière les portes et les fenêtres branlantes de cette maison de la côte du Texas, guettée par le chat géant, impitoyable de la Consolidated Telephone.

On est en 1943 et, en plus de la société du téléphone, Nita est guettée aussi, en dehors de la maison, par la guerre.

A travers la moustiquaire, Nita regarde l'estropié, M. Bailey, l'homme à tout faire, qui boite et qui branle du chef en poussant son antique tondeuse à gazon au milieu du chemin. Elle se met à l'abri du soleil dans la pièce rose de devant, sans air, où il ne pourra pas la voir. Ce n'est pas tant à cause de l'aspect de M. Bailey, avec sa gueule cassée, qu'elle détourne toujours les yeux pour ne pas croiser son regard, ni du fait qu'il ne parle pas et qu'elle ne sait jamais quoi lui dire.

C'est surtout, en quelque sorte, parce qu'il lui fait penser à elle-même.

Il s'approche, clopin-clopant, cette espèce d'homme-orchestre sourd comme un pot, avec son râteau à long manche, et sa pelle, et sa bêche qui brinquebalent, ficelés au manche de la tondeuse. Elle retrouve dans son pas inégal l'histoire de ses propres efforts maladroits, inutiles,

pour organiser sa vie et celle des enfants.
M. Bailey lui rappelle toujours que les choses
peuvent aller très mal, que la vie peut être sans
horizon, et que les plus vastes projets, les espé-
rances les plus prometteuses peuvent jaunir sur
l'arbre, sans porter de fruits.

En vérité, elle se demande parfois avec
angoisse s'ils n'ont pas déjà jauni. En frisson-
nant, elle regarde, pendus à la ceinture que
M. Bailey s'est fabriqué lui-même, les outils
rouillés qui se balancent : pinces, sécateur, tournevis, lime, marteau. Tous usés, rouillés, cassés,
tous abîmés...

Qu'est-ce qu'elle aurait dû faire d'autre,
qu'est-ce qu'il aurait fallu éviter, quel est le
point précis d'où les choses auraient pu bien
tourner ? Pourquoi l'avenir clair, lumineux
s'est-il transformé en un passé sombre qu'elle
regrette ? Nita soupire. Est-ce son divorce ? Sa
belle-sœur lui avait prédit qu'elle le regretterait
tôt ou tard. Pourtant, cela lui avait paru tellement préférable au fleuve tourbillonnant de
scènes de ménage sur lequel ils essayaient de
naviguer depuis si longtemps. Est-ce parce
qu'elle a quitté Philipsville après le divorce,
pour venir ici en portant les deux petits dans ses
bras ? Pourtant, elle était si contente de trouver
ce job, n'importe lequel du reste pourvu qu'il
les nourrisse. Elle avait cherché si longtemps,
on lui avait dit non si souvent...

Elle voit M. Bailey lever une fois les yeux vers
la porte, puis les baisser tout de suite sur sa

tondeuse. C'est peut-être elle, avec sa gêne, qui
gêne M. Bailey ? Elle le voit bien, souvent, quand
elle fait exprès de détourner de lui son regard,
qu'il détourne aussi son visage mutilé, pour
s'occuper de n'importe quoi à ses pieds quand
elle est près de lui. Il est aussi mal à l'aise avec
elle qu'elle avec lui.

Nita soupire. Derrière la tête branlante de
M. Bailey, à l'endroit où le chemin rejoint la
grande route, elle aperçoit les premières maisons
de la ville, cette ville qu'elle n'a pas vue de près
une seule fois depuis des mois, comme tout le
reste du vaste monde, sauf sa maison.

Si elle tend le cou, elle peut apercevoir la
fenêtre de Francine Lucas, avec son petit dra-
peau texan encore à sa place. Pauvre Francine !
Nita a reçu le terrible coup de fil la semaine
dernière : Emile, le fils de Francine, est mort,
son porte-avions... dans le Pacifique... les bom-
bes japonaises... aucun survivant... Malgré la
chaleur de midi, Nita sent un frisson lui passer
dans le dos en revoyant le visage de Francine,
figé, en entendant son cri de désespoir.

Emile a été livreur chez le pharmacien jusqu'à
l'âge de s'engager. La semaine dernière encore
il était vivant, il respirait, il allait et venait, il
riait... et sa pauvre mère, Francine, n'avait pas
encore le cœur percé par l'insigne de l'aéro-
navale qu'elle portait si fièrement... Dire qu'il
n'y a qu'une semaine !

Un instant, un éclair a suffi pour que l'avenir
devienne le passé : Emile est mort, sa mère a

le cœur brisé. Il y a une semaine, et debout, à la porte, dans l'ombre étouffante des murs roses de la pièce de devant, Nita se rappelle.

Il va suffire d'une autre semaine pour que Nita aussi, en un éclair instantané, voie son avenir devenir un passé mort. Et elle ne se rappellera plus du tout ces quelques minutes à l'ombre, mais brûlantes, où elle pense à Emile, en se cachant de l'œil unique de M. Bailey. Cette autre horrible nuit-là, Nita sera tapie dans l'ombre torride de sa maison, retenant sa respiration, l'oreille aux aguets. Nita n'aura qu'une idée en tête : son fusil, si lourd dans sa main moite, pendant que ses deux petits garçons se serreront contre elle en face des fils coupés du standard qui traîneront par terre, inutiles. Elle aura la bouche sèche, comme si elle était pleine de sable, et les oreilles emplies du tonnerre du coup de fusil qui aura déchiré à la fois la nuit et leurs existences. La semaine va passer. Et il n'y aura pas de retour.

Des années après, quand elle aura déménagé, qu'elle aura essayé d'oublier ces horreurs qui se seront passées là, elle apprendra que le nom de « shotgun house » vient simplement de la façon dont ces maisons de quatre sous sont bâties, les pièces simplement posées les unes à côté des autres comme les wagons d'un train qui aurait déraillé. Quand elle pourra repenser à cette maison sans frissonner d'horreur, on lui expliquera que le nom vient de ce que, si les portes en enfilade sont toutes ouvertes, on pourrait tirer un coup de fusil d'un bout à l'autre, de la porte d'entrée jusqu'au mur du fond. Rien de plus sinistre...

) Un vieux camion à ridelles, à la peinture rouge fanée passe en brinquebalant derrière M. Bailey, sur le chemin devant la maison, avec à la portière une vague figure pâle au nez pointu, ramenant les pensées de Nita d'Emile et Francine à cette après-midi ensoleillée.

Elle regarde le camion disparaître dans le nuage de poussière qu'il a soulevé. Tout le monde va quelque part, sauf elle.

Elle a un souvenir de chanson qui lui flotte vaguement dans la tête, où il est question d'arc-en-ciel. Son fils Harry, sur son petit vélo bleu beaucoup trop grand pour lui, pédale maladroitement sur le perron. C'est M. Bailey qui a trouvé la mini-bicyclette, un jour, et qui l'a amenée dans la cour, en cadeau. Penché à 45°, Harry manque de peu le chariot rouge renversé et fait un virage hésitant au coin de la maison.

Nita cherche des yeux, dans la cour, son cadet, Henry, et découvre ses petits pieds bronzés et poussiéreux qui pendent tranquillement au-dessus de sa tête entre les branches et les feuilles de l'arbre de Chine[1] près du perron.

De son perchoir, il crie, tout excité :

— M. Bailey !

L'homme à tout faire pousse la tondeuse dans la cour, avec son sourire de travers.

1. Le « chinaberry tree » est un arbre particulier au sud des Etats-Unis, appelé en latin *Sapindus saponario*. (*N.d.T.*)

Les deux pieds nus au-dessus de sa tête frétillent et gigotent jusqu'à ce que les jambes de leur pantalon décoloré apparaissent à leur tour sous les branches de l'arbre. Soudain, le petit corps trapu émerge, un instant suspendu par un seul bras, en se trémoussant avant d'atterrir en catastrophe dans la poussière un mètre cinquante plus bas.

— Salut, M. Bailey ! dit-il encore, tout content.

Nita regarde Henry épousseter son pantalon et se demande s'il s'est seulement rendu compte que le pauvre vieil homme de peine ne parle jamais.

Elle tourne déjà presque tout à fait le dos à la porte lorsque le bourdonnement du standard qui règle sa vie, le bruit qui l'éveille tous les matins, le dernier qu'elle entend tous les soirs, l'appelle dans la grande pièce. Dans la pénombre rose, elle passe devant le canapé de peluche avec ses accoudoirs lisses et ses coussins qui tombent jusque sur le linoléum, et devant la vieille radio arrondie par en haut, posée dans le coin de l'étagère fourre-tout où elle garde ses seuls trésors : la corbeille de porcelaine blanche, pleine d'œufs de porcelaine aux vives couleurs, que Walter lui avait achetés à l'Exposition de Dallas avant leur mariage (Exposition du Texas 1934, c'est marqué à la peinture dorée sur le côté), et la photo des garçons et de Walter, dans son cadre de métal, que Walter avait fait faire pour elle, comme cadeau de Noël, au Studio de Montgomery, un an avant leur divorce.

En allant répondre au standard, elle passe devant les seuls autres objets qui meublent la pièce de devant : le taxiphone, fixé à l'intérieur du mur, et la chaise à dossier droit posée réglementairement à côté.

Elle dit, réglementairement :

— Allô ? j'écoute.

Elle a attrapé le casque et enfoncé une fiche dans un des trous clignotants de ce standard qui l'a prise au piège, là, dans la grande pièce.

— Trente-sept ?... Ne quittez pas...

Elle soupire.

De l'autre côté de la fenêtre, au-delà du dos en arc de cercle de ce chat invisible qu'est la Southwest Consolidated Telephone, il y a le grand carnassier plus redoutable qui est la guerre, qui guette et grogne à la face du monde.

Nita se frotte les yeux en attendant la fin de la communication. C'est la guerre, la même guerre qui a broyé Emile Lucas dans ses dents de feu et plongé Francine dans le désespoir. La guerre qui les tient tous et ne les lâchera pas. C'est la guerre, elle le sait bien, qui la tient, et Harry, et Henry, dans ses mâchoires invisibles, qui les tient, tout nus, impuissants, condamnés, aussi sûr qu'Emile est mort. La guerre est partout... et nul ne lui échappe.

« *Les oiseaux s'envolent vers l'arc-en-ciel...* »

Elle a retrouvé les paroles de sa chanson.

« *...Ah, je voudrais m'envoler aussi !...* »

2

Dehors, un peu gêné de n'être pas retombé sur ses pieds en sautant de l'arbre, Henry fait un sourire à M. Bailey, qui lui répond d'un signe de tête et d'un demi-sourire, du côté qui fonctionne. Henry en a discuté avec Harry, de ce fait que M. Bailey n'a qu'une moitié qui marche : un bras, une jambe, et la moitié de la bouche seulement. En l'observant attentivement, ils ont constaté qu'il a un globe oculaire seulement, et encore, de travers et presque fermé. Et M. Bailey ne parle pas du tout.

Henry a supposé qu'il est tombé d'un arbre. Ou bien d'un vélo, a dit Harry. Ou peut-être qu'il a été blessé à la guerre, se sont demandé les deux enfants ensemble. Mais ils n'ont jamais osé le lui demander.

— Tu vas tondre les mauvaises herbes, aujourd'hui, M. Bailey ? demande Henry en remontant son vieux pantalon qu'il porte sans chemise.

M. Bailey fait un demi-sourire et acquiesce
d'un signe de tête ; et Harry apparaît au coin
de la maison, gardant difficilement son équilibre
sur la bicyclette, son fin visage crispé par l'effort.
En apercevant M. Bailey, il esquisse un sourire
et le vélo rouillé s'effondre aussitôt, dans la
poussière. M. Bailey s'approche, clopin-clopant.

— Je n'ai rien, dit Harry, furieux, déjà assis.

Le vélo, c'est plus difficile qu'il n'avait cru
en regardant les copains. Il fait un sourire à
M. Bailey :

— Salut, dit-il. Tu travailles ici, aujourd'hui ?

M. Bailey acquiesce de nouveau, puis il
redresse le guidon, remet la bicyclette debout,
vérifie la roue avant.

— Bon, annonce Henry. Faut que je remonte
dans mon arbre, M. Bailey.

Il court jusqu'au tronc de l'arbre de Chine et
se met à grimper jusqu'à la première branche.
De la maison, on entend l'appel du standard.

M. Bailey lève la tête de sur la roue du vélo,
un peu tordue, regarde la tête blonde de Harry
penchée sur le garde-boue mal vissé, et se glisse
sous les pieds de Henry qui se balancent. De
son œil unique, il regarde l'écriteau Southwest
Consolidated Telephone Company, cloué sur le
poteau devant le perron et, derrière, la pénombre de la pièce. Il sait que Nita est dedans,
quelque part.

Assise devant le standard, le casque sur la
tête, Nita plonge le vieux stylo noir dans la
bouteille d'encre. Elle pose une feuille de papier

blanc quadrillé sur le bureau devant elle, et elle mordille le stylo pendant plusieurs minutes.

Le visage de Francine lui apparaît, rougi et couvert de larmes, et Nita enlève le stylo de sa bouche. Il faut le faire aujourd'hui, même si elle ne sait pas du tout ce qu'elle va écrire.

« *Monsieur le Juge...* »

Elle s'arrête, à peine commencé. Puis, au bout de plusieurs minutes, elle reprend :

« *Il faut que je vous explique* »...

C'est difficile de s'adresser à un inconnu, à un juge, surtout.

« *Je suis divorcée et j'ai deux garçons, âgés de six et huit ans : Henry et Harry. Henry est le plus petit.* »

Elle s'arrête encore et réfléchit quelques minutes avant de continuer :

« *Il y a deux ans que je tiens cette cabine téléphonique à Gregory. Je gagne trente-cinq dollars par mois, ce qui est insuffisant pour...* »

Lorsque l'œil du standard se rallume, Nita pose sa plume et retire la fiche pour couper la communication. Penchée sur sa lettre, elle s'efforce de retrouver le fil de ses idées. Ah ! oui :

« *...insuffisant pour...* »

Elle reprend sa plume :

« *...pour faire vivre une femme seule et deux petits garçons. Pour joindre les deux bouts, je suis obligée de faire le service de nuit en plus de la journée, ce qui me fait vingt dollars de plus par mois. Je pourrais sûrement trouver* *mieux mais mon patron, M. John T. Rigby, me dit que je n'ai pas le droit, que je suis réquisitionnée à cause de la guerre. Il dit que la loi interdit de changer de travail.*

« *L'épicier d'ici, M. Buford, m'a dit de vous écrire, que vous avez de l'influence et que vous pourriez m'aider à obtenir le droit de quitter cette place pour chercher mieux. J'espère que vous voudrez bien poser mon problème à l'Agence pour l'Emploi du Texas. Je sais que la guerre rend tout plus difficile et il faut que tout le monde travaille. Moi, le travail ne me fait pas peur...* »

Le standard sonne de nouveau. Elle se dépêche de finir :

« *...mais ça ne peut plus durer. Salutations distinguées, Nita Longley.* »

Voilà. C'est fait.

Les lampes-témoins du standard l'appellent en clignotant d'un air menaçant. Et on entend quelqu'un gratter à la fenêtre.

« Ne quittez pas. Je recherche votre correspondant. »

3

DE SON OBSERVATOIRE DANS L'ARBRE DE CHINE, Henry voit très loin dans toutes les directions. Il voit la vache dans les buissons de l'autre côté du chemin. Il voit les premières maisons au croisement du chemin et de la grande route, qui s'entassent les unes contre les autres, de plus en plus serrées à mesure que son regard s'avance vers là où il sait que se trouve la « ville », là-bas sous le clocher de l'église méthodiste au bord de la rivière, où les deux cent quatre-vingts âmes de Gregory (Texas) se réunissent pour faire leur marché et trouver leurs nourritures spirituelles.

La ville est un endroit bizarre. Henry ne se rappelle pas avoir vécu ailleurs, mais il est certain que ce n'est pas à Gregory qu'ils devraient habiter tous les trois. Et d'abord, il n'y a pas assez de copains pour jouer. Harry connaît quelques garçons à l'école, mais il y en a un, Berto Zamora, qui a les yeux noirs, qui

habite de l'autre côté de la ville, là où Nita ne
les laisse pas aller ; et les autres habitent tout à
fait dans la campagne, bien trop loin pour qu'on
ait l'occasion d'aller les voir.

Une fois, près de chez le coiffeur, ils ont rencontré une bande de grands, pieds nus sur des
vélos pleins de poussière ; et les grands leur ont
jeté des pierres en les traitant d'« orphelins ».
Un des gars leur a crié :

— T'as pas de père !

Et il a lancé un caillou qui est tombé dans le
chariot plein de courses qu'ils ramenaient de
l'épicerie.

— On dira à maman qu'elle a glissé et qu'elle
est tombée toute seule, avait dit Harry en regardant la bouteille de lait cassée dans le sac, une
fois le chariot mis à l'abri derrière le coin de la
rue.

— C'est quoi, un orphelin ? avait demandé
Henry.

— C'est rien, avait répondu Harry sèchement.
C'est un mot idiot qu'ils ont inventé. Ça veut
rien dire.

Mais Henry n'avait pas oublié le mot. Et Nita
les avait grondés, bien sûr, pour avoir cassé
la bouteille de lait.

De son perchoir, dans l'arbre, Henry regarde
un camion à bestiaux, à ridelles, d'un rouge
passé, qui entre sur la route, au moment même
où un petit cabriolet Ford 1939 la quitte pour
passer sur le chemin. Mais il ne voit pas de
Japonais, et c'est les Japonais qu'il guette.

En dessous, il voit M. Bailey qui coupe les mauvaises herbes avec son sécateur. C'est dommage qu'il n'y ait pas davantage d'herbe dans la cour, pour que M. Bailey en ait plus à couper quand il vient. A plat-ventre sur la branche de l'arbre, Henry regarde la tête blonde de Harry qui tourne dans la cour, en équilibre instable sur sa bicyclette.

Henry a essayé de faire du vélo aussi, mais ses pieds n'arrivent pas jusqu'aux pédales. A en juger par les difficultés de Harry, il se dit, d'ailleurs, que tout le problème ne consiste sûrement pas à atteindre les pédales.

Henry a entendu claquer une portière de voiture. Il s'assoit et regarde vaguement à travers les branches. Le cabriolet noir tout brillant s'est arrêté, mais ce n'est pas un Jap. C'est seulement M. Rigby, le patron de maman, qui remonte l'allée avec ses petites jambes sous son gros ventre. C'est le seul homme que Henry connaisse qui porte toujours un complet et une cravate, même en été. Son complet d'aujourd'hui est foncé et à petites rayures, et sa cravate est étonnante, avec une fille peinte en vert et or, et le mot « aloha » par-dessus. Même vu de loin et d'en haut, Henry voit bien que M. Rigby est tout luisant de sueur sous son chapeau de paille à larges bords. M. Rigby passe sous l'arbre en jetant un coup d'œil acide à M. Bailey.

— Si t'étais Japonais, dit Henry de là-haut, je serais obligé de te lâcher une noix de coco sur la tête.

Les deux petites jambes de M. Rigby quittent le sol en même temps. Il lève la tête, inquiet, et découvre les pieds nus d'Henry. Il dit, furieux :

— Hé, petit gars, comment ça se fait que tu es toujours là-haut dans l'arbre ?

— Je guette les Japs, répond fièrement Henry. Je fais ça pour M. Roosevelt. Je fais ça tous les jours.

C'est la chose la plus importante qu'il ait à faire en ce moment.

— C'est idiot, crache M. Rigby en redressant son chapeau.

Henry le regarde d'en haut, incrédule : idiot ? Il dit :

— Faut qu'on les surveille. Je vais te montrer de quoi ils ont l'air.

Il se remet en position, se concentre de toutes ses forces, fait le tour de sa branche et tombe en faisant un roulé-boulé dans la terre.

— Ecoute, Henry, dit M. Rigby en brossant la poussière qui vient de retomber sur son pantalon à rayures. Ecoute, je n'ai pas de temps à perdre avec tes bêtises.

Henry brosse sa salopette, relève son pantalon et se met à fouiller dans sa poche de derrière :

— Je viens te montrer de quoi ils ont l'air, dit-il avec force en sortant une page bien pliée, arrachée dans « Life-Magazine ».

— Je le sais bien, de quoi ils ont l'air, bon Dieu ! dit M. Rigby, en brossant, avec un mouchoir vert et or, la poussière qu'il y a maintenant sur son chapeau.

Henry lui tend le dessin, en noir et blanc, presque effacé à force d'être plié et déplié, d'un soldat japonais, pieds nus, avec une grosse tête, des lunettes rondes à monture d'acier, des yeux comme des fentes entrouvertes sur l'univers du mal, et des dents de fauve dans un sourire diabolique. M. Rigby le regarda :

— En vrai, ils sont jaunes, dit Henry.

— Pourquoi tu ne te fais pas un petit jardin, ou un truc comme ça ? dit M. Rigby en fourrant son mouchoir dans sa poche et en remettant son chapeau sur sa tête déplumée.

— Par ici, ajouta Henry, ils viennent surtout en sous-marin. Ils arrivent la nuit, du golfe[1].

— Ecoute, Henry, dit M. Rigby, en relevant la jambe gauche de son pantalon pour mettre son pied sur la marche, j'ai des choses à faire, moi, et...

— Ils sont petits et ils sont méchants, coupa Henry, et si tu en vois un, tu viens me le dire et j'irai le dire à M. Roosevelt.

M. Rigby n'a pas vu Harry et la bicyclette et, tout à coup, ils le dépassent en zigzagant, au ras de son derrière à rayures. Ses deux pieds quittent le sol, encore une fois. Quand il reprend pied, il crie :

— Hé là, sale môme ! Tu ne peux pas faire attention, avec ton truc ?

Harry regarde derrière lui une seconde, juste le temps de perdre le contrôle du vélo, et il se

_____

1. Le Golfe du Mexique, qui borde le sud du Texas. (*N.d.T.*)

retrouve à plat-ventre dans la poussière encore une fois.

M. Bailey lance un regard noir à M. Rigby et se traîne en boitant pour l'aider à se relever.

Sous le regard de M. Bailey, M. Rigby cherche des yeux des objets à sa portée qui pourraient lui servir d'arme de défense, y compris le râteau, le chariot retourné et la bicyclette criminelle. La figure de M. Bailey n'est pas belle à voir, même quand il est de bonne humeur et elle fait monter et descendre la fille de Hawaï avec le nœud de la cravate de M. Rigby qui s'agite nerveusement.

— Ta mère est là ? demande M. Rigby à Henry, quand l'homme de peine a son attention retenue par le genou écorché de Harry.

— Maman, elle est toujours là, dit Henry, sur le ton qu'il emploie avec les adultes qui font exprès d'avoir l'air idiot, ou qui font semblant de ne pas savoir quelque chose qu'il sait qu'ils savent très bien.

M. Rigby fait encore un pas vers le perron. M. Bailey le regarde en fronçant les sourcils, ou, plus exactement, un sourcil, du côté de son front qui peut se froncer.

— Bon Dieu ! dit M. Rigby à mi-voix.

— Tu veux le regarder encore un coup ? lui demande Henry en lui tendant son journal.

M. Rigby monte les marches, jette encore un regard inquiet sur M. Bailey par-dessus son épaule et se dirige vers la porte de devant. Il entend Nita, au standard, dans la grande pièce, qui fait une commande, évidemment, à Buford, l'épicier :

— Ah... et puis de la levure... une boîte. Et deux oranges, et peut-être cinq ou six pommes de terre... moyennes. Ah... oui, une boîte de corn flakes... Je crois que c'est tout. Ça fait combien, tout ça, M. Buford ?

M. Rigby est à la porte entre la pièce de devant et la grande pièce. Bon sang, mais il fait une de ces chaleurs, dans ce trou !

Nita le regarde froidement s'éponger la figure avec son mouchoir. Elle demande, dans l'appareil :

— Et combien de tickets ?

M. Rigby lui rend son regard en fourrant le mouchoir trempé dans sa poche.

— Bon, dit-elle en prenant le fil du téléphone. Les garçons arrivent tout de suite. Et merci beaucoup, M. Buford.

Elle retire la fiche du tableau et lance un regard meurtrier à M. Rigby qui se râcle la gorge.

— C'est du temps que vous prenez à la Compagnie, dit-il, tout heureux qu'elle lui fournisse une entrée en matière digne d'un patron.

Elle répond :

— Il faut bien qu'on mange.

En regardant la fille des îles sur la cravate.

M. Rigby tourne la tête pour regarder vers la porte :

— Vous ne devriez pas laisser ce vilain bonhomme traîner par ici, dit-il d'un ton acide.

— M. Bailey ? demande Nita, avec une cour-
toisie marquée.

— Un type comme ça, c'est mauvais pour les
affaires. Vous l'avez déjà regardé de près ?

— Non, reconnaît Nita. Mais à propos de
beauté...

Elle se tait, le temps que sa phrase fasse son
chemin, tout étonnée d'être si en colère contre
lui, surprise que d'avoir écrit cette lettre lui ait
fait tant d'effet.

« ... vous êtes bien placé pour en parler. »
Elle a bien failli le dire. Elle sourit.

M. Rigby tousse un coup et change de conversation, mais toujours aussi agressif :

— Et votre petit garçon, aussi. Il ne faut pas
qu'il empoisonne tous les gens qui viennent
ici. C'est mauvais pour les affaires, aussi, ce
gosse perché là-haut dans l'arbre comme un
imbécile.

Nita regarde ses doigts, crispés, tout blancs
aux jointures, sur la table devant elle. Le standard bourdonne et clignote. Alors elle lève les
yeux pour regarder M. Rigby en face, tout en
enfonçant la fiche pour prendre l'appel.

— Ne quittez pas, dit-elle sans quitter des
yeux son patron.

La lettre sera postée tout à l'heure et rien ne
pourra l'arrêter.

— Les reçus sont dans le tiroir, dit-elle en se
levant et en ôtant son casque. Puis elle passe
devant lui en allant à la porte de devant :

— Pardon...

Elle pousse la moustiquaire. Elle appelle :

— Harry ! Henry ! Prenez le chariot et allez à l'épicerie. Voilà l'argent et les tickets.

Elle tend un porte-monnaie noir et elle ajoute, en léchant l'enveloppe avant de la coller :

— Et puis vous me mettrez ça à la boîte aux lettres.

Henry grimpe les marches quatre à quatre. M. Rigby crie, de l'intérieur :

— Nita, je ne trouve pas le versement de M. Daniel Hooten ce mois-ci.

Elle ne s'occupe pas de son patron. Henry dégringole de son arbre dans la poussière. Elle crie :

— Fais attention, Henry ! Un de ces jours, tu vas te casser la figure et tu te casseras quelque chose pour de bon...

Henry remonte son pantalon d'une main et se brosse le derrière de l'autre. Il dit :

— Oui, m'man...

— Il va falloir lui couper son téléphone, crie M. Rigby.

— Il a payé. C'est là-dedans, crie Nita.

Henry, qui danse d'un pied sur l'autre, demande :

— Hé, m'man, on peut se payer un jus d'orange, à l'épicerie ?

— Non, chéri. Pas aujourd'hui. Je n'ai pas assez d'argent. La prochaine fois, j'espère.

C'est dur, de leur refuser cette petite chose de rien du tout. Elle répète :

— La prochaine fois, peut-être. Ne perds pas l'argent, Harry. Ni la lettre.

Henry remet le chariot sur ses roues et s'assoit dedans en attendant Harry. Harry dit :

— On fera bien attention, m'man.

— Ah oui, le voilà, crie M. Rigby. Mais il faut faire bien attention, vous savez. On ne peut pas tolérer la resquille. Surtout en temps de guerre.

Nita regarde les enfants sortir de la cour, Henry, dans le chariot traîné par Harry, serrant très fort le porte-monnaie et la lettre. Elle ne peut plus rien faire maintenant et elle pousse un soupir de soulagement.

Elle jette un coup d'œil rapide à M. Bailey, qui en est à tracer de petits sillons dans la poussière. Il a ramassé tous les jouets et les a rangés bien proprement au bout du perron. Il ne lève pas les yeux.

Quand elle rentre dans la maison, elle trouve M. Rigby assis sur le divan dans la pièce de devant, toujours en train de trier les reçus et les relevés. Elle va droit à la grande pièce sans s'arrêter devant lui et va s'asseoir devant le standard. Elle saisit son casque et respire à fond :

— Il faut que je vous dise, M. Rigby, dit-elle. J'ai écrit une lettre.

— Hein ? dit-il d'un ton distrait, sans cesser de tripoter les papiers. Vous avez écrit une lettre ? Grand bien vous fasse !

— J'ai écrit une lettre, dit Nita d'une voix

tranquille, pour essayer d'avoir la permission de quitter ce travail.

Elle entend le froissement de papiers s'arrêter.

— J'ai écrit à un juge, conclut-elle.

— A un juge ? s'écrie M. Rygby, soudain inquiet. Et pourquoi avez-vous écrit à un juge ?

Le standard bourdonne. Elle prend sa voix de service, aussi aiguë, aussi métallique que les fils qui la transmettent.

— Quel numéro demandez-vous ?... Ne quittez pas...

M. Rigby réfléchit. Un juge ? La sueur lui coule du menton sur les papiers posés sur ses genoux.

— Si je ne m'occupe pas de nous, M. Rigby, dit-elle avec un accent de colère qui les surprend tous les deux, personne ne le fera à ma place. Pas vous, en tout cas.

M. Rigby réfléchit à ce qu'il peut faire. Il y a plusieurs solutions :

— Vous connaissez le moyen de me rendre plus complaisant, dit-il avec un sourire engageant, bien qu'elle ne puisse pas le voir.

Il attend la réponse, qui ne vient pas. M. Rigby cesse de sourire :

— Bien, dit-il en rayant mentalement de sa liste une des solutions, je peux toujours essayer de vous trouver une autre place dans la Compagnie.

— Il y a deux ans que vous me racontez ça, dit Nita sèchement.

Il raye la deuxième solution :

— Mais vous savez bien que c'est la guerre, Nita, dit-il d'une voix qu'il voudrait être celle d'un responsable surmené, harcelé par les revendications déraisonnables d'une employée. Voyons, vous le savez bien ! insiste-t-il d'un ton suppliant. Personne n'a la vie belle en ce moment !

— Je ne demande pas la belle vie, répond Nita d'une voix vibrante. Je demande seulement le droit d'embrasser mes enfants le soir sans être dérangée par le standard du téléphone.

M. Rigby décèle une imperceptible faille dans l'assurance de Nita et il est certain désormais de tenir le bon bout :

— Je n'y peux rien, dit-il avec toute son autorité retrouvée. Je vous l'ai déjà dit. Vous êtes réquisitionnée à ce poste jusqu'à la fin de la guerre, ou jusqu'à ce que l'Agence pour l'Emploi du Texas vous rende votre liberté.

— Ils me la rendraient si vous le demandiez, insiste Nita.

Mais toute sa confiance en elle a disparu. Elle demande, maintenant, elle n'exige plus. C'est fini.

— Je ne peux pas, conclut M. Rigby.

— Alors je vais m'en aller, tout simplement, dit-elle d'une voix aiguë, véhémente. Je vais m'en aller !

— Allez-y ! dit M. Rigby en hochant la tête. Mais vous ne retrouverez pas d'autre job, une fois que vous aurez violé la loi sur l'organisation du pays en temps de guerre !

Nita baisse la tête :

— Vous pourriez me faire libérer si vous vouliez..., supplie-t-elle.

Le standard lui coupe la parole :

— Allô, j'écoute..., dit-elle.

Elle enfonce une fiche, met le contact. Sa main joue nerveusement avec la croix pendue à son cou. Pourquoi a-t-elle perdu sa belle assurance ? Elle était tellement pleine de confiance, voilà seulement quelques minutes ! Elle essayait d'imaginer sa lettre tombant dans la boîte, à la poste, puis serrée dans le sac postal avec des centaines d'autres, en route dans la nuit pour Corpus Christi dans le camion rouge et bleu des postes...

« *Monsieur le Juge, il faut que je vous explique...* »

Elle imagine le juge en train de lire. Puis elle revoit le visage ravagé de chagrin de Francine. Elle laisse sa main retomber de son cou.

« *Je sais que la guerre rend tout plus difficile...* »

— Je vais vous dire une bonne chose, M. Rigby, dit-elle, retrouvant son assurance. On va s'en aller d'ici. Guerre ou pas guerre. Réquisition ou pas réquisition. Et ça n'est pas vous qui nous en empêcherez.

Elle s'interrompt un instant :

— Vous m'entendez ?

Pas de réponse.

— M. Rigby ?

Elle regarde vers la pièce de devant. M. Rigby n'est plus assis sur le divan. M. Rigby a disparu.

Nita enlève son casque et va jusqu'à la porte de la maison. Elle voit juste le cabriolet Ford noir, avec « Southwest Consolidated Telephone Company » peint sur la portière, qui sort du chemin pour s'engager sur la grande route.

M. Bailey a fini son travail. Il a rattaché son râteau, sa bêche et sa pioche sur la tondeuse et il traverse la cour à grand bruit. Il s'en va.

Nita ferme les yeux. Elle appuie son front contre le chambranle de la porte.

— Ça ne peut plus durer, murmure-t-elle, tout contre le bois chaud. Non, ça ne peut plus durer comme ça.

4

AVANT D'ARRIVER A L'ÉPICERIE BUFORD, HARRY ralentit le chariot et jette un coup d'œil furtif à l'intérieur du bistrot poussiéreux entre l'épicerie et le coiffeur. Henry descend du chariot et glisse sa tête sous le bras de Harry. Ils lorgnent tous les deux dans la pénombre.

C'est devenu une vieille habitude. Harry a expliqué à Henry ce que sa mère lui a dit, que le divorce est arrivé parce que leur père voulait passer plus de temps à boire de la bière dans les bistrots qu'à la maison, avec elle et les petits. C'est pourquoi Harry regarde dans les bistrots le plus souvent possible, pour voir si son père n'est pas revenu sans prévenir et s'il n'est pas allé tout droit à l'endroit qu'il préfère.

Harry ne sait pas trop bien ce qu'il y a de vrai dans ses souvenirs de son père, et ce qu'il a envie de se rappeler. De temps en temps, il pousse le fauteuil près de la radio et il monte

dessus pour regarder la photo que maman garde
sur l'étagère près de la corbeille des œufs en
porcelaine, avec lesquels elle lui défend de
jouer. C'est une photo de papa et d'un bébé
d'environ trois ans, qui tient papa par la main
avec un sourire idiot, et c'est Harry lui-même.

Il croit se rappeler que son père était plus
grand et plus fort que tous les hommes qu'il a
connus, qu'il sentait le tabac et souvent aussi la
bière, qu'il avait une grosse voix quand il se
disputait avec maman la nuit, et que sa joue
piquait quand il vous embrassait, qu'elle n'était
pas douce comme celle de maman ou sa joue
à lui, Harry.

A part ça, il ne sait pas trop de quoi il se
souvient. Est-ce que son père l'avait vraiment
emmené dans un ranch près d'où ils habitaient,
et est-ce qu'ils étaient montés à cheval — ou
bien est-ce que Harry l'a seulement rêvé très
fort ? Est-ce qu'ils avaient vraiment construit
un train avec des roues qui tournaient, fait avec
des boîtes de conserves et des boîtes de céréales,
ou bien, là encore, Harry l'a-t-il rêvé ? Est-ce que
son père le prenait vraiment sur ses genoux pour
lui raconter des histoires d'Indiens qui vivent
dans les forêts, ou bien est-ce que Harry se les
raconte lui-même ?

Il a demandé un jour à Henry s'il se souvient
des histoires, mais le cadet a hoché la tête. Non,
mais il voulait que son frère les lui raconte, tout
de suite. Harry voudrait bien avoir plus de
mémoire.

Dans le bistrot, il y a deux ampoules nues, pendues au plafond au bout de leur fil qui se tortille au-dessus de la table de billard, où deux hommes jouent la partie avec huit boules. Le long du mur, derrière la table, un long comptoir. Et derrière le bar, il y a Crecencio Zamora, le patron mexicain, entouré de pancartes et de panneaux publicitaires : Bière Jax, Coca-Cola, « Engagez-vous dans la Marine », le portrait de Betty Grable, « Achetez des Bons d'Armement » et Rita Hayworth, et une réduction de l'enseigne au néon du dehors, « Chez Crecencio ».

— Ils jouent au billard, murmure Harry en observant avec attention les visages des deux joueurs.

— Oui, au billard, dit Henry.

Le plus grand des deux joueurs prend sa bouteille de bière sur le comptoir et boit une longue gorgée au goulot.

— Et ils boivent de la bière ! ajoute Harry, en ouvrant de grands yeux.

— Oui, approuve Henry. Ils boivent de la bière.

Le plus grand des deux, en reposant sa bouteille de bière, aperçoit les deux enfants à l'entrée et pousse du coude son partenaire à l'air abruti.

Maintenant qu'il peut les voir mieux, Harry constate qu'ils ne ressemblent pas du tout à son père. A la vérité, ils sont laids et ils ont l'air méchant. Il cherche le bras de Henry pour se rassurer, car le grand joueur de billard a fait un vilain sourire à l'autre avec un geste vers la porte. Il chuchote :

— Vas-y, Arnold !

Alors, le plus petit des deux fonce sur les enfants en faisant des moulinets avec ses bras et en criant :

— Hé... les mômes ! Hou... ou...

Harry attrape Henry, l'arrache à l'entrée du bar et fonce vers le timon du chariot en criant :

— Cours !

Tous les deux foncent sur le trottoir inégal, devant le coiffeur, sans oser regarder derrière eux jusqu'à ce qu'ils aient atteint la moustiquaire de l'épicerie. M. Buford ouvre la porte en entendant le raffut du chariot qui s'arrête. Tous les trois ensemble, ils regardent au bout du trottoir les joueurs de billard debout à côté du camion à bétail d'un rouge passé, riant et se tapant sur les genoux. Celui qui s'appelle Arnold montre les enfants du doigt en criant des choses :

— Ils jouent au billard, et ils boivent ! dit Harry, plein de mépris.

— Des planqués, des bons à rien ! dit M. Buford en faisant entrer les enfants dans son magasin, par-dessous son bras.

Ils regardent la pancarte sur le côté du camion : « Triplett Frères, Transporteurs, Gregory, Texas ».

Le gros, c'est Arnold, celui qui n'a pas eu trop de peine à convaincre le conseil de révision local qu'il est trop bête pour qu'on lui confie un fusil. Le grand, qui a l'air plus mauvais, c'est son frère Calvin, qui a, tout aussi facilement, convaincu le conseil qu'un type trop bête pour porter un fusil et être tué par les Japs ne peut pas se balader tout seul dans les rues de Gregory. Alors ils ont laissé Calvin chez lui aussi, pour surveiller Arnold à leur place.

— Et qu'est-ce que vous avez fabriqué, vous deux ? demande M. Buford aux enfants.

En même temps, il pose les deux sacs d'épicerie dans le chariot de Henry et Harry, avec un sourire.

— Oh, on a chassé les Japs, surtout, répond Henry tout en cherchant dans sa poche la photo du soldat japonais.

M. Buford lui tapote la tête :

— Tu me l'as montrée la semaine dernière, dit-il en riant. Tu te rappelles ?

L'épicier compte la monnaie et prend les tickets sur leur carte :

— O.K., allez-y et soyez prudents avec votre cargaison, dit-il en rendant le porte-monnaie à Harry. C'est lourd, tu sais.

Henry a remis la photo dans sa poche de derrière, mais il regarde gravement M. Buford :

— Ils sourient tout le temps, dit-il. Des fois, ça suffit pour les reconnaître.

M. Buford acquiesce.

— Et ils sont dans des sous-marins, d'habitude, poursuit Henry.

— Je les aurai à l'œil, promet l'épicier en

cherchant sous son comptoir un petit sac de papier. Il tend le sac à Henry.

— Tenez, c'est un cadeau pour vous deux, les enfants.

Henry, tout excité, ouvre le sac. Harry regarde à l'intérieur :

— Oh, mince, alors ! Des boules de gomme !

— C'est extra ! dit Henry.

Il plonge la main dans le sac et la ressort avec une douzaine de boules de gomme.

Harry se sert à son tour :

— Merci, M. Buford.

— Ah oui, dit Henry, la bouche pleine.

— Et ne renversez pas toutes vos provisions, dit M. Buford avec un bon rire.

Les enfants tirent leur chariot et sortent de la boutique. Braves gosses ! Et cette pauvre femme qui travaille jour et nuit pour les nourrir et leur acheter des souliers pour aller en classe et des manteaux pour l'hiver. Le temps qu'elle ait payé ceux d'une année, ils sont devenus trop petits pour l'année d'après.

Bien sûr, pense l'épicier en regardant les enfants remettre leur chariot dans le bon sens sur le trottoir, bien sûr, quand une femme divorce, elle doit savoir ce qui l'attend. Elle aurait dû mieux réfléchir avant d'aller raconter ses problèmes à un juge. Et, même, elle aurait dû y réfléchir avant d'épouser un homme avec qui elle ne voulait pas rester, et de se faire faire deux gosses. Le divorce avait peut-être arrangé quelques problèmes, mais il lui en avait sûre-

ment posé d'autres auxquels elle ne s'attendait
pas.

Dehors, en tournant le chariot, Harry voit le
bout de deux souliers qui dépassent de la porte
du bistrot. Au-dessus, on voit pointer un gros
ventre plein de bière et, au-dessus du tout, le
bord relevé d'un chapeau de cow-boy. Il redresse
les roues et remet d'aplomb le sac d'épicerie,
d'une main, tout en faisant passer soigneusement le chariot sur un trou dans le trottoir.

Plus près de la porte, il voit deux paires de
bottes et deux bords de chapeaux, mais toujours un seul gros ventre de buveur de bière.
C'est celui du gros, celui qui s'appelle Arnold.
Le plus grand, le maigre, celui qui a l'air mauvais, louche à l'approche des enfants et lève
sa bouteille pour avaler une gorgée de bière.
Harry ne lève pas les yeux des sacs d'épicerie,
dans l'espoir que, s'il ne regarde pas les deux
hommes, ils ne feront pas attention à lui.

Mais ça ne marche pas. Le grand baisse sa
bouteille de bière au moment où Harry passe
et bloque la roue arrière du chariot avec le bout
de son pied. Henry rattrape les sacs d'épicerie
qui allaient tomber au moment où le chariot
s'arrête brusquement sur le trottoir. Harry tire
encore un coup sur le timon.

— Vous allez loin, les mômes, avec toute cette
bouffe ? demande Calvin.

— On va chez nous, répond Henry. Qu'est-ce
que tu crois ?

Arnold se met à fouiller dans les sacs d'épicerie. Harry tire encore sur le timon, mais Calvin ne retire toujours pas son pied.

— Faut pas toucher à nos sacs, Monsieur, dit Harry.

— Ouais ? répond Arnold en prenant une orange. T'as vu, Calvin ?

— Ouais ! fait Henry en essayant de reprendre l'orange, mais Arnold la retire plus vite.

— T'es un petit malin, hein ? dit Calvin. Tu veux un coup de bière ? ajoute-t-il en tendant sa bouteille.

— On n'a pas l'âge de boire de la bière, dit Harry, très vite, en tirant toujours sur son chariot. Et puis faut qu'on rentre chez nous.

Arnold fouille encore et reprend une orange :

— On a fait les courses pour sa maman, hein ? dit-il.

— Moi, j'irais bien rapporter les courses à ta maman, ricane Calvin avec un clin d'œil à Arnold.

Ils se mettent à rire tous les deux.

— Monsieur, dit Harry d'une voix presque suppliante, faut qu'on y aille.

Il a peur. Tout ça ne l'amuse pas du tout. Alors une voix crie, de l'intérieur du bar :

— Hé, là-bas !

Ils se retournent tous les quatre. C'est Crecencio qui crie, de derrière son comptoir :

— Pourquoi vous cherchez pas quelqu'un à votre taille ?

— Ta gueule, là-dedans, crie Calvin, furieux. Ou bien je vais te faire ta fête.

— C'est ça, l'encourage Arnold. Vas-y !

Crecencio, avec un grognement, se lève, devant le congélateur auquel il s'appuyait, et fait le tour du bar. Les clients, c'est le seul inconvénient de ce genre de boulot. Tout le reste, il aime bien : le billard, la bière, l'enseigne au néon avec son nom au-dessus de la porte. Mais les gens, les clients, c'est dégueulasse. Les ivrognes, les clodos, les bons à rien. Et surtout ces deux-là, toujours à faire du schproum. Il y a des fois où il se dit qu'il devrait vendre et accepter de conduire les autocars. On lui a proposé ça plusieurs fois.

En passant devant le billard, Crecencio prend une queue et il fait claquer le gros bout dans sa paume en pensant au craquement délicieux que ça ferait s'il cognait avec ça sur la tête de Calvin ou d'Arnold — l'un ou l'autre, aucune importance —, ou peut-être les deux. Dire qu'ils s'en prennent à des gosses !

Crecencio arrive à l'entrée, il se prépare à foncer dehors en faisant un moulinet. A ce moment, Harry tire encore un coup sur le chariot, plus fort, et la roue arrière passe sur le pied de Calvin. Des sacs d'épicerie secoués, deux pommes de terre tombent.

— Allez, viens, Henry ! dit Harry en poussant une patate dans le caniveau.

— Pourquoi t'as fait ça ? demande Henry en regardant d'un air mauvais les deux joueurs de billard.

— Tu ferais mieux d'aller avec ton frère, petit

morveux, glousse Calvin en avalant encore une gorgée de bière. Sinon, je risque d'avoir envie de te claquer les fesses.

Crecencio reste immobile, juste à l'intérieur de l'entrée, en baiançant la queue de billard dans sa main. Ils lui tournent le dos : il pourrait se les faire tous les deux avant qu'ils aient compris ce qui leur arrive.

— Et pourquoi vous allez pas faire la guerre aux Japs ? demande Henry, sévère.

Calvin glousse de rire et lève sa bouteille de bière.

— Henry ! dit Harry, déjà un peu plus loin avec le chariot. Alors, tu viens ?

— Tu ferais bien d'y aller, espèce de petit tordu, dit Calvin, sèchement.

Henry le regarde d'un air provocant, les deux poings sur les hanches. Arnold essaie de l'attraper mais l'enfant lui échappe d'un bond. Et il crie, en courant pour rejoindre Harry :

— J'espère que les Japs vous auront, tous les deux !

Arnold hoche la tête, comme un idiot — comme l'idiot qu'il est — mais Calvin fronce le sourcil et boit encore une gorgée de bière, lentement. Le chariot brinquebale sur le trottoir inégal et Harry se retourne pour regarder derrière lui. Il est inquiet.

Crecencio est déçu. Merde, il n'y a même pas eu de bagarre. Il regarde encore un bout de temps, et puis il rentre dans son bar et repose sa queue sur le billard. Il constate que Betty

Grable, qui lui sourit derrière le bar, a besoin d'être remise d'aplomb. Soudain, sans avoir réfléchi, il pousse la lourde porte de bois et la verrouille.

— Hep !

C'est un des frères Triplett qui a crié. Cresencio rend son sourire à Betty. Cet après-midi, ils vont être tous les deux tout seuls, sans ivrognes, sans conversations stupides, sans discussions, sans bagarres. Rien que lui avec Betty Grable, avec Rita Hayworth qui regarde du coin de l'œil.

— Hé, gros connard !

Calvin crie, du dehors :

— Alors, ça ouvre ?

Il cogne à la porte.

— C'est fermé ! crie Crecencio.

Il redresse le coin de Betty Grable, en lui faisant un clin d'œil.

Les enfants font descendre le chariot au bout du trottoir. Harry se retourne encore, mais les deux joueurs de billard ne s'intéressent plus à eux : ils sont en train de cogner à grands coups de pied dans la porte du bar.

— Ecoute, dit-il à son petit-frère, tu ne dis rien à maman, pour les deux mecs. Vu ?

Henry lève les yeux étonnés de sur les sacs d'épicerie.

— Dac.

Et il ajoute :

— Pourquoi ?

— Parce que, dit Harry en reprenant le timon du chariot.

Et il y a quelque chose dans sa voix qui coupe à Henry l'envie de poser d'autres questions.

5

— Ne quittez pas...

Harry est couché ce soir-là et il regarde, à la lumière parcimonieuse qui filtre de la grande pièce, la tache d'humidité au plafond, qui a la forme d'un cheval. Sa mère répète ce qu'il l'a déjà entendue dire des milliers de fois :

— Ne quittez pas... on vous parle.

La nuit est chaude, mais il tire le drap moite sur lui. Le cheval a l'air de se cabrer sur un gros rocher.

Il se demande encore lequel des deux est le plus dégoûtant : le gros, avec son rire idiot, ou le maigre qui louche. Arnold, ou Calvin. Ils sont horribles tous les deux. Harry voudrait avoir quelqu'un avec qui parler d'eux.

Il y a tellement de choses que Harry ne comprend plus ces temps-ci ! Pourquoi il y a la guerre, par exemple, et pourquoi Dieu a fait les Japs et les Allemands si salauds, et pourquoi son père n'est jamais venu les voir, et pourquoi sa mère ne rit plus jamais. Les choses qu'il ne comprend pas lui font peur.

Il se tourne pour voir si Henry est réveillé, mais le petit dort profondément, ses draps tombés par terre à côté de l'album de bandes dessinées.

Harry a déjà senti les pas sournois de sa peur, tout à l'heure, au moment d'aller aux toilettes avant de se coucher. Il a enlevé sa combinaison et ouvert la porte de derrière et il est resté longtemps, en slip, dans l'embrasure de la porte, fouillant de sa lampe-torche tous les recoins de la cour. Il ne saurait pas dire au juste ce qu'il pense qui se cache peut-être là, mais dans tous les cas, il veut le voir le premier.

Il a été soulagé quand Henry a lâché sa bande dessinée en criant :

— Attends-moi !

Les fesses à l'air, il a couru à la commode pour y prendre un short et l'enfiler. Harry était bien content de n'avoir pas besoin d'aller tout seul dans le noir aux cabinets.

Dans la cabane, ils ont regardé ensemble dans le trou noir :

— Je ne vois pas de toiles d'araignées, a dit Henry.

— Faut être sûrs, a dit Harry, prudent, pointant la torche sur le bâton qu'ils gardent dans un coin à cet usage.

Henry l'a pris et l'a tourné et retourné dans le trou en bois.

— Je crois que ça va, a conclu Harry en cherchant sur le bâton des traces de la terrible veuve noire, qui se plaît dans les cabinets, c'est bien connu.

Henry a regardé encore une fois dans le trou noir et il a dit :

— Passe d'abord.

Dehors, Harry a dirigé encore une fois la torche dans toutes les directions et puis ils sont rentrés en courant jusqu'à la porte de derrière.

— Qu'est-ce que tu cherches ? a demandé Henry. Pourquoi on court ?

— Rien, a murmuré Harry en arrivant à la porte. On court, c'est tout.

Il ne sait pas vraiment pourquoi, mais il sent la peur sans nom lui griffer l'intérieur.

Il a verrouillé soigneusement la porte, à cause des bêtes de la nuit à deux pattes, quatre pattes, mille pattes, tapies derrière, et ils ont écouté un moment, au cas où il y aurait un bruit, une secousse sur le bouton de la porte, ou un grattement là où la pierre du seuil est craquée.

Puis il a traversé la grande pièce, devant sa mère assise au standard avec le casque sur la tête. Dans le noir de la pièce de devant, sur la petite étagère de coin au-dessus de la radio, il y a la photo, dans son cadre d'étain, et à côté la corbeille de porcelaine fragile remplie des œufs tout brillants que maman aime tant.

Il tire la chaise de sous le téléphone payant et il prend la photo. Il l'approche tout près dans la pénombre et il regarde, il regarde très fort les yeux plissés de l'homme, dans l'espoir d'y lire un signe, quelque chose...

Ça lui fait toujours du bien de regarder la photo. Il remet le cadre sur l'étagère et prend avec soin la corbeille blanche par l'anse si mince. Il arrive tout juste à distinguer les couleurs des œufs : bleu avec des fleurs peintes, jaune avec des guirlandes oranges, rose et rouge, vert avec un petit lapin bleu-vert.

Il tourne et retourne les œufs dans sa main : ils sont doux, et durs, et lisses, et froids, comme de l'eau qui serait devenue toute dure, en grosses gouttes...

— Harry ?

C'est sa mère qui appelle, de la grande pièce :

— Tu es là ? C'est l'heure de se coucher.

De retour dans sa chambre, Harry se retourne dans son petit lit et dit bonne nuit au cheval du plafond. Il entend Nita répéter, d'une voix fatiguée :

— Ne quittez pas...

Harry ferme les yeux. La dernière chose qu'il entend, c'est, encore une fois, « ne quittez pas ». Puis il s'envole sur le cheval cabré, dans un rêve difficile.

Son père est debout à côté d'un char, comme celui qui est sur le mur de la poste, en uniforme comme sur l'affiche, avec des médailles et des rubans plein la poitrine. Harry crie :

— Attends-moi, p'pa ! Attends-moi !

Mais quand il essaie de courir avec son père,

ses jambes n'obéissent pas et ses pieds s'empê-
trent dans la boue.

Son père lui parle, mais les mots se perdent
dans le bruit des canons du char. Sa bouche
remue, mais tout ce que Harry entend, c'est le
« boum-boum » des canons qui éclate en fleurs
colorées comme un feu d'artifice au-dessus de la
tête de papa.

Harry se met à pleurer et son père lui sourit
doucement. Il décroche une de ses médailles de
sa veste et la tend au garçon. Il dit encore quelque chose, mais tout ce que Harry entend, c'est
le boum-boum-boum des explosions des canons.
Et puis son père grimpe à l'arrière et il s'en va.

Papa ! Quand Harry retourne la médaille dans
sa main, il voit qu'elle est toute rouge et or, avec
des inscriptions en lettres élégantes. Et quand
il referme ses doigts dessus, elle est chaude et
douce.

6

Nita retire le casque et se passe avec
lassitude les doigts dans ses cheveux moites sur la nuque. Le col de dentelle de son
peignoir est collé par la sueur qui lui coule entre
les seins. Il fait si chaud, si tard dans la nuit !

Quand elle sort sur le perron, elle aperçoit des
éclairs qui sillonnent paresseusement l'horizon
tout plat. Il va peut-être pleuvoir. Elle s'asseoit
sur la marche, appuyée contre le poteau, et
regarde le spectacle électrique silencieux, comme
si des projecteurs lointains annonçaient la géné-
rale, la grande première mondiale d'un spectacle
qui aurait lieu ailleurs, pour des spectateurs
qu'elle ne connaîtra jamais.

Entre les éclairs maussades, Nita aperçoit les
étoiles qui luisent comme les pierres taillées de
sa robe de satin noir pendue dans son placard.

— Il faut que je fasse un vœu, se dit-elle.

Elle a acheté la robe à tempérament, pour
aller danser avec Walter. Elle a mis six ou huit

mois à la payer. Et maintenant elle est là, accrochée bêtement dans le noir, sous une housse de papier pour l'abriter de la poussière, et les perles n'ont plus jamais de lumière à refléter.

Elle chante toujours sa chanson, qui parle d'un ciel sans nuages. Les éclairs continuent, sans tonnerre, reflétés par les nuages bas.

Nita soupire et se fait du vent dans les jambes en agitant sa robe, tout en regardant de l'autre côté du chemin, au-delà du terrain vague où les vaches broutent, en direction de la ville où toutes les lumières des portes et des fenêtres convergent sur la balise rouge en haut du château d'eau et la croix lumineuse blanche sur l'église méthodiste.

Elle sait que, plus loin, de l'autre côté, les lumières recommencent à diverger dans le noir en direction de la côte. Au-delà, les éclairs se reflètent mollement dans les eaux noires du golfe du Mexique.

Un moustique bourdonne dans son oreille.

Au milieu de la lueur, au même instant, une bouteille de bière traverse la rue dans la nuit chaude, et vient cogner avec fracas la porte du bar qui se ferme, sous l'enseigne au néon « Chez Crecencio ».

Calvin glousse de rire en écoutant se répercuter dans la rue vide l'écho du bruit de la bouteille qu'il a lancée :

— T'entends, Pancho Villa ?

— On ferme ! crie le patron du bar, derrière la porte close.

Il se verrouille de l'intérieur, éteint le néon, laissant les frères Triplett appuyer leur ivresse contre le garde-boue de leur camion.

— Merde... on s'en va, murmure Arnold.

Nita écrase un moustique sur son bras juste au moment où le camion quitte la grande route pour se diriger vers sa maison, en passant devant chez Francine. Elle se lève, regarde les phares qui approchent, pousse la moustiquaire et passe du perron obscur dans la maison.

— Qu'est-ce que t'en dis, Arnold ?

C'est Calvin qui crie, en ralentissant le camion pour mieux voir les longues jambes et la poitrine de la silhouette de femme sous le peignoir léger.

— J'en dis que c'est chouette, dit le frère en rigolant, la tête retournée pour voir par-dessus son épaule.

Nita ferme la porte et elle éteint la lumière dans la pièce de devant.

— Un de ces jours, petit frère, si ça se trouve, on t'arrangera ça, dit Calvin, qui rit lui aussi, en écrasent l'accélérateur.

7

L ORSQUE LA PLUIE SE MET A TOMBER QUELQUES
heures plus tard, tout doucement d'abord,
tapotant de ses doigts légers les feuilles sèches
de l'arbre de Chine, puis transformant les traces
de râteau de la cour en rigoles de boue, Nita
dort à poings fermés. Elle ne se réveille même
pas quand les gouttes sur le toit de zinc se mettent à tambouriner sans répit, et que le tonnerre
secoue les vitres mal mastiquées des fenêtres
illuminées par les éclairs.

C'est la voix rauque du standard qui la réveille
en sursaut, les nerfs tendus face au clignotement
de la lampe-témoin. Elle se lève et saisit le casque :

— Allô, oui ?... Ne quittez pas...

Elle parle en dormant encore à moitié ; elle
enfonce la fiche, elle tourne la clef de contact
sans même s'asseoir. Un éclair brillant projette
sa silhouette noire sur le mur, de l'autre côté
du standard.

Au moment de l'éclair, si elle avait jeté un regard sur la mauvaise herbe du terrain vague, de l'autre côté du chemin, elle aurait vu une silhouette, une autre ombre noire découpée par la lumière soudaine, une vraie silhouette, non pas un chat comme elle l'aurait cru sans doute, ni des démons inconnus que la peur de Harry aurait imaginés, mais un homme à moitié caché derrière la haie, accroupi sous la pluie, silencieux, immobile, surveillant la fenêtre et la silhouette à peine visible de Nita au standard dans la grande pièce rendue à la pénombre.

Mais Nita n'a pas regardé :

— Ne quittez pas... Je recherche votre numéro, dit-elle en bâillant, tandis que le tonnerre éclate et que les assiettes tremblent dans le placard.

La communication terminée, elle va voir les enfants endormis, Harry le drap relevé jusqu'au cou, et Henry tout découvert.

Elle pense que ça ne doit pas être drôle pour eux, sans personne pour les emmener nulle part, sans aucun copain pour jouer avec eux, et elle à qui il reste tout juste la force de poser leurs assiettes sur la table, et pas assez d'argent pour leur payer un soda orange. Henry est toujours le même petit homme au visage ouvert. Mais Harry... elle se fait du souci pour Harry. Il garde trop tout en lui.

Elle entend la pluie qui tambourine sur le chariot renversé dans la cour.

En tout cas, ça va rafraîchir un peu l'atmo-
sphère.

Quelques minutes plus tard, elle se recouche
et elle se rendort à poings fermés. Ce n'est pas
le bruit du standard qui la réveille la deuxième
fois, une heure plus tard à peu près. C'est
quelqu'un qui frappe à la porte de devant,
d'abord doucement, puis, comme on ne répond
pas, plus fort, avec insistance.

Nita s'efforce encore une fois de reprendre
ses esprits, d'écouter le standard à travers le
bruit de la pluie, en essayant de comprendre ce
qui l'a réveillée.

De nouveau, on frappe, encore plus fort. On
cogne, même.

Tout à fait réveillée, elle se lève, enfile son
vieux peignoir bleu. A la porte, elle allume la
lumière sous le porche, ce qui transforme les
gouttes de pluie les plus proches en une sorte
de rideau miroitant, et elle entrouve la porte
sans enlever la chaîne.

Il y a un jeune marin, tout trempé dans son
uniforme blanc, qui lui fait un sourire timide. Il
enlève son bonnet. Il a les cheveux blonds coupés court.

— Qu'est-ce que c'est ? demande Nita.

— Pardon de vous déranger, dit-il, d'un ton
hésitant. Je m'excuse, vous savez, mais il faut
absolument que je donne un coup de fil. Je vous
dérange, je sais bien, mais le gars de la station
d'essence m'a dit que vous aviez un taxiphone.

Un éclair illumine la cour, assez pour qu'on

voie le rouge du chariot des enfants et le bleu du vieux vélo. Le visage du marin, à contre-jour, devient tout noir le temps de l'éclair.

— Bon, entrez, dit Nita, encore à moitié endormie.

Elle repousse la porte pour détacher la chaîne. Elle est habituée à être réveillée comme ça par des coups sur la porte, des coups furieux, ou affolés, ou simplement méthodiques, persistants, obstinés. C'est son travail. Il y a eu Jean[1] Lester, toute confuse, mais il fallait bien qu'elle essaie d'appeler Jack, son mari, maintenant, parce que c'était maintenant qu'il faisait jour là-bas, avec le décalage horaire, pour lui dire que le bébé était né.

Il y a eu aussi Mme Buford, avec ses yeux rouges de fatigue et de chagrin, qui venait de passer des nuits blanches au chevet de sa mère agonisante, et qui appelait sa sœur à Fort Worth pour lui dire que la vieille malade avait enfin trouvé la paix et qu'il fallait qu'ils viennent tous, demain, pour la levée du corps. Et il y a eu le père affolé qui suppliait le docteur, dans un mélange d'anglais et d'espagnol, de venir soigner son fils, *por favor;* il a sept ans, il a été mordu par un serpent à sonnettes de deux mètres, pendant que le gosse et tous ses frères et sœurs gémissaient dans la pénombre de la vieille Chevrolet arrêtée sur la route. Sainte Marie, mère de Dieu.

---

1. Jean (prononcé « Djine ») est un prénom féminin. *(N.d.T.)*

Ils sont tous différents, ils ont chacun leur histoire, triste ou gaie, ils viennent chez Nita, attirés par le fil du téléphone qui va du standard au poteau au bord de la route. Dans l'obscurité, attirés comme des papillons de nuit par l'œil clignotant du standard, ils cognent à sa porte parce qu'ils ont quelque chose à dire à quelqu'un et ça ne peut pas attendre le lever du jour.

Et puis ils s'en vont, l'épouse énervée, la fille épuisée et désespérée, le père angoissé, et bientôt le jeune marin.

Ils s'en vont, sans s'être même rendu compte qu'ils ont tiré de son lit une blonde à l'air épuisé, en peignoir bleu, au milieu de la nuit, pour mettre ses fiches dans le standard et dire :

— Allô, ne quittez pas...

Et Nita se recouche dans le coin du standard, en attendant le suivant. Il y aura toujours un suivant, comme ce soir, comme ce jeune marin, dégouttant de pluie sur le perron.

Il s'excuse :

— Je vais vous tremper votre plancher..., dit-il en tapant des pieds avant d'entrer.

Il est terriblement jeune. Vingt ans, peut-être dix-neuf.

— Ça ne fait rien, dit-elle. Je suis habituée.

— Je vous demande pardon, dit-il encore, en posant par terre son sac de marin mouillé.

Nita hoche la tête :

— Le taxiphone est là, dit-elle en montrant le mur entre la pièce du devant et la grande pièce du milieu. Vous avez de la monnaie ?

— Oui, Madame, dit-il, comme un enfant, en fouillant dans sa poche.

Nita passe devant lui pour entrer dans la grande pièce. Elle ferme la porte du devant derrière elle et se tourne vers le standard, de l'autre côté de la cloison. Elle met le casque et dit :

— Quel numéro demandez-vous ?

— Hein ? dit le marin, d'un ton surpris. Ah, c'est vous, Madame ?

Il a parlé dans l'appareil mais elle l'a entendu aussi bien à travers la cloison.

— Pardon, dit-elle. L'habitude.

— Voyons... le numéro ? dit-il. Ah oui, c'est le 182 à Stillwater, dans l'Oklahoma.

Nita allonge le bras :

— C'est un abonné, ou bien c'est la cabine ?

— Vous dites ?

— C'est une communication personnelle, ou bien c'est de la cabine à la cabine ? demande Nita, machinalement.

Il hésite.

— La cabine, c'est moins cher, explique-t-elle, aimable.

— Alors la cabine, dit-il aussitôt.

Nita tourne la clef de contact :

— Allô, l'opératrice ? Ici Gregory, dit-elle d'une voix neutre. Un avis d'appel pour Stillwater, Oklahoma... Le 182... Le demandeur est à l'écoute.

Elle pourrait le faire tout en dormant, tellement elle est habituée. Elle dort presque en ce moment, d'ailleurs.

— Il va falloir attendre une minute, dit-elle au marin. Vous mettez cinquante-cinq cents pour les trois premières minutes dès qu'on répond.

— Oui, Madame, j'attends, répond la voix impatiente du marin, qu'elle entend à la fois dans son casque et à travers le mur.

Ils écoutent tous les deux les déclics, les bourdonnements, les voix des téléphonistes et les toussotements qui vont du standard, sous le toit martelé par la pluie, jusqu'à Corpus Christi, Dallas, Oklahoma City, pour arriver à Stillwater. Nita ferme les yeux. Elle attend. C'est presque comme si elle entendait physiquement l'impatience du marin, le souffle coupé, de l'autre côté du mur. Elle lui dit, en entendant le son familier :

— Ils sonnent, tenez.

Au bout de quelques secondes, il soupire :

— Il n'y a peut-être personne chez eux.

— Ça sonne toujours.

Elle l'entend murmurer :

— Ah, je voudrais bien qu'elle réponde !

Il doit appeler sa petite amie, pense Nita en soupirant. Tout le monde a un endroit où aller. Tout le monde appelle quelqu'un.

Un « allô » endormi court sur la ligne. Nita entend le marin avaler sa salive et elle écoute les pièces tomber dans l'appareil avec leur bruit métallique. Deux pièces de vingt-cinq et une de dix cents. Il dit, plein d'espérance :

— Mme Shinn ?

Nita coupe son contact.

— Mme Shinn ?

Elle l'entend aussi bien à travers le mur.

— Ici Teddy ! Teddy ! J'appelle du Texas !...
Du Texas !

Nita referme les yeux.

— Oui, Madame. Du fin fond du Texas,
comme dit la chanson. C'est quelque chose, le
Texas, pour le peu que j'en ai vu.

Nita sourit.

— Oui, Madame. Je suis... oui, c'est sûr, je
vais bien. Et vous, ça va ? Vous tous ? Ah, tant
mieux. Ça me fait bien plaisir, vraiment...

Nita écoute la pluie, le vent dans les feuilles de
l'arbre de Chine, et les roulements du tonnerre
au loin.

— Dites, Mme Shinn, est-ce que je pourrais
parler à Charlotte ? Je sais bien qu'il est tard,
je m'excuse, mais je rentre du Texas en stop. Je
voudrais lui dire que je reviens...

Il retourne chez lui pour revoir sa petite amie.
Il s'en va-t-en guerre, comme Emile Lucas,
comme Jack Lester, comme Walter...

Nita rêve presque. Elle l'entend qui dit :

— Oui, Madame, ce soir. J'ai une permission
de cinq jours... Non, Madame, c'est pas long,
c'est vrai. Mais j'arrive... Allô, Madame ?

Un léger changement de ton dans la voix fait
rouvrir les yeux à Nita. Il demande :

— Mais pourquoi pas, Mme Shinn ?

Il y a de la surprise dans la voix qui vient de

l'autre côté du mur. De la surprise et même un
peu d'inquiétude.

— Madame ?

Cette fois, la voix du garçon est nettement
inquiète. Nita retient son souffle.

— Et ça s'est passé quand, Mme Shinn ?

Il a posé la question d'une voix blanche. Il
dit, soudain :

— Mme Shinn, vous me faites marcher, hein ?

Il reconnaît :

— Non, Madame. Ce n'est pas votre genre...
Oui, Madame.

Cette fois, il est résigné :

— Oui, je comprends. Je vous ai toujours
bien aimé, vous et M. Shinn... Avec qui,
Mme Shinn ?

La voix devient dure :

— Celui-là ?... Non, Madame, non. Je suis
seulement un peu étonné... Il est mécanicien,
c'est bien ça ? Chez Chevrolet ?

Sous la petite lumière au-dessus du standard,
Nita se frotte les yeux.

— Oui, Madame, je le connais... Enfin, pas
tellement bien, Mme Shinn. Sûrement, il est très
bien.

Nita sent qu'il a envie de se taire, de ne plus
écouter.

— Vous savez, Madame, il faut que je m'en
aille. Non, c'est seulement que je ne m'y atten-
dais pas. Oui, Madame, c'est ça. Et puis... vous
direz à Charlotte...

Sa voix traîne un peu :

— ... dites à Charlotte... je ne sais pas... enfin, au revoir... Elle va me manquer, Mme Shinn.

Il reprend son souffle :

— Oh, non, Madame, ça ne durera pas, dit-il, trop vite. Bon, eh bien, dites aussi bien des choses à M. Shinn... Au revoir.

Nita se laisse tomber dans son fauteuil. Il est si jeune ! C'est un enfant !

— C'est ça, merci, dit-il. Oui, Madame...

Sa voix s'est encore affaiblie, comme un tricot qui se défait :

— Au revoir, Mme Shinn.

Nita attend qu'il raccroche. Il oublie :

— Terminé ? dit-elle dans son micro d'une voix pleine de compassion.

— Elle a épousé Jimmy Tompkins, répond le marin dans le téléphone.

— Ah..., dit-elle, timidement.

— Oui... j'ai été cueilli à froid, dit-il.

— J'imagine, dit Nita. Je suis désolée.

— Oh, je me consolerai, dit-il, héroïque.

Et elle a presque l'impression que c'est elle qui lui a dit : « Tu te consoleras, mon petit. »

Alors, elle répond :

— Je sais...

— Mais ça me secoue drôlement quand même, pour l'instant, ajoute-t-il en respirant à fond. C'est une fille drôlement bien, Charlotte. On parlait... de se marier, tous les deux... Je n'avais jamais pensé à en épouser une autre... Elle est jolie, vous comprenez, et gentille...

— Vous voulez une tasse de café ? demande doucement Nita.

— Merci, j'aimerais bien, dit-il avec un soupir, mais je ferais mieux de retourner en stop à ma base, à Corpus.

— Ça vous fera du bien...

Il y a un long silence.

— Vous voyez, Madame, dit-il tristement, je n'arrive pas à y croire... C'est sans doute le mariage qui lui plaisait, plus que moi. Jimmy Tompkins...

Nita écoute la pluie sur le toit :

— Moi, je vais en prendre une tasse, dit-elle, au moment où un coup de tonnerre secoue les assiettes et les vitres des fenêtres. Vous êtes sûr que vous n'en voulez pas un peu ?

— Enfin... oui, dit-il en soupirant encore. Ça ne me fera sûrement pas de mal.

Nita coupe le contact de son standard et retire le fil. Elle ouvre la porte de la pièce de devant.

— Entrez, dit-elle avec un sourire au marin penché, les coudes sur les genoux, dont elle ne voit que les cheveux blonds coupés court.

La cuisine est de l'autre côté de la grande pièce, à l'opposé du standard et du divan. Nita met la cafetière sur le feu et décroche deux tasses. D'un coup de chiffon, elle essuie la table de métal.

Il arrive, par la grande pièce du milieu.

— Ils sont à vous ? demande-t-il en faisant un signe de tête vers les deux enfants, aperçus dans la chambre de derrière.

— Oui, dit Nita en souriant. Henry et Harry. Henry est le plus petit.

— Moi, j'ai un petit frère, dit le marin, debout, indécis, au milieu de la cuisine.

— Ah oui ?

— Oui, dit-il. Il s'appelle Ronnie. Il voulait s'engager dans la Marine avec moi.

— Il est trop jeune, bien sûr, dit Nita en servant le café avec un sourire.

— Bien sûr, dit-il, souriant lui aussi, appuyé contre le mur. Il a cinq ans.

Nita pose les deux tasses sur la table et ouvre le réfrigérateur :

— Vous prenez du lait ?

— S'il vous plaît.

Elle pose la bouteille sur la table :

— Asseyez-vous donc, dit-elle, toujours en souriant.

Il répond lui aussi d'un sourire toujours un peu gêné, et tire une chaise. Elle demande :

— Du sucre ?

Elle tend le bras pour le prendre sur l'étagère au-dessus de l'évier.

— Je ne veux pas vous prendre votre sucre.

Il se verse un peu de la crème qui s'est formée dans le goulot de la bouteille de lait.

— Ne vous gênez pas, dit-elle. Je n'ai pas beaucoup le temps de faire de la pâtisserie.

— Merci, dit le marin.

Elle pose le sucre devant lui :

— Il faut que je le range là-haut, sinon, Henry

le mange par poignées, dit-elle avec un rire indul-
gent, en reposant le sucre sur l'étagère.

Elle se rassoit et prend sa tasse. Au bout
d'une minute, elle s'aperçoit que le marin continue à mettre des cuillerées de sucre dans sa
tasse et que le café déborde dans la soucoupe.
Il éclate de rire :

— Allons bon ! Regardez ce que j'ai fait !

Nita sourit et boit une gorgée de café mais
elle ne trouve rien à lui dire. Pauvre gosse ! Un
éclair troue la pluie dans la nuit.

— Ça n'a pas d'importance, dit-elle finalement, d'un ton maternel, comme s'il venait de
se cogner, ou de s'écorcher le genou.

Il essaie de sourire en hochant la tête :

— Je croyais que ces choses-là n'arrivent pas
tant qu'on n'est pas tout à fait parti à la
guerre.

Nita rit gentiment. Il fronce le sourcil :

— Je veux dire... je croyais... je croyais que
quand on s'aime, n'est-ce pas, il ne peut rien
vous arriver.

— Tout peut toujours arriver, dit doucement
Nita.

Il fixe sa tasse en silence.

— Elle a peut-être eu peur, dit doucement
Nita. Peur à cause de la guerre.

Il relève la tête.

— Peur que vous ne reveniez pas, peut-être.
Peur d'un malheur.

Il boit une gorgée de café, repose la tasse et
se frotte les yeux. Puis il dit, d'une voix lasse :

— Peur ? Moi aussi, j'ai peur. C'est peut-être pour ça que j'avais tant besoin de la revoir... avant que mon bateau s'en aille.

La guerre est partout. Personne n'y échappe. Si elle écoute bien, Nita l'entend, en ce moment, qui envahit sa cour boueuse, par les rigoles. Elle vient, elle vient, la guerre...

— Il n'y a rien à faire, dit-elle. Continuer, c'est tout.

— Je tiendrai le coup, dit-il à mi-voix, comme pour s'en convaincre lui-même.

Nita demande :

— Ce n'est pas trop sucré ?

Il a fait la grimace en buvant une gorgée.

— Vous voulez que je vous remette un peu de café ?

— Mais non, dit-il en vidant sa tasse courageusement. C'est comme ça que je l'aime.

Il repousse sa chaise :

— Maintenant, il faut que je m'en aille.

Nita l'accompagne à la porte de devant. Il dit :

— Merci pour le café.

— Il n'y a pas de quoi, dit-elle en souriant.

Il regarde une dernière fois le taxiphone sur le mur d'en face, il reprend son sac de marin et il ouvre la porte.

A la lumière d'un éclair, Nita s'aperçoit que la cour si bien ratissée n'est plus qu'une mare d'eau boueuse qui monte jusqu'au perron. Un énorme coup de tonnerre éclate au-dessus de leurs têtes, et le bruit de la pluie ressemble à un bombardement. Le marin lui tend la main et dit, un peu gêné :

— Merci... enfin... merci pour tout, n'est-ce pas...

Nita prend la main tendue et le regarde d'un air inquiet. Puis elle dit, d'une voix hésitante :

— Vous pourriez coucher ici, pour la nuit...

Bien sûr, elle se fait du souci pour lui à cause de l'orage. Mais elle se fait aussi du souci pour elle-même et les enfants, s'il s'en va.

— Non, répond-il aussitôt, non. Il faut que je m'en aille.

— Mais vous voyez le temps qu'il fait ? Il n'y a personne sur la route. Avec qui voulez-vous faire du stop ?

Elle le supplie presque. Il regarde le déluge.

— Peut-être...

— Alors, c'est entendu, dit-elle. Vous pourrez coucher sur le canapé de la pièce de devant...

Il se retourne vers elle :

— Je n'avais pas l'intention de me faire adopter, dit-il avec un sourire timide.

— Je vais vous chercher des draps, dit Nita, soulagée, en refermant la porte.

NITA glisse vers le sommeil au rythme de la pluie, et elle rêve que c'est Emile Lucas qui cogne à la porte au beau milieu de la nuit pour téléphoner à sa mère. Elle marmonne :

— *Mais tu es...*

Et elle s'arrête, incapable d'arriver à lui dire qu'il est mort. Il lui sourit tristement. Et puis c'est Harry, avec ses cheveux si blonds trempés, qui frappe à la porte de Francine en pleurant :

— *Maman !*

Et Francine ouvre la porte à la volée et elle serre Harry sur son cœur en pleurant :

— *Emile ! Mon fils !*

Et puis c'est le jeune marin qui crie :

— *Charlotte ! Charlotte !*

Et puis c'est Walter qui regarde Nita d'un air absent sans dire un mot...

Lorsque l'éclair illumine son lit, perçant ses paupières fermées, Nita gémit, douloureusement, mais sans cesser de dormir, sans voir la lumière aveuglante de l'éclair.

Le marin, sur le divan marron dans la pièce de devant, ouvre les yeux un instant dans la clarté éblouissante, puis les referme, pour laisser le bruit permanent de la pluie laver son esprit troublé. Rien d'autre à faire que de continuer...

Au bord du terrain vague, de l'autre côté de la rue, la silhouette est toujours là, celle de l'homme accroupi depuis longtemps, qui regarde la maison à travers la pluie sombre brusquement éclairée. Illuminé, immobile, acharné, reptilien, le regard rond, pâle, immuable et sans sommeil.

8

Harry est étonné de trouver fermée la porte entre la grande pièce et la pièce de devant dans la lumière de l'aube, mais, avec Henry, ils ont déjà à moitié traversé la grande pièce quand il comprend pourquoi.

Henry s'arrête d'un coup derrière lui, montre une masse blanche sur le divan marron et demande :

— Qu'est-ce que c'est ? Un Jap ?

— Chut, murmure Harry. Je ne sais pas.

Henry revient sur ses pas, sur la pointe des pieds :

— Je vais chercher mon fusil, dit-il.

Un Jap ! Enfin !

Harry fait un pas vers le divan, se penche sur le visage du dormeur, qui n'est pas jaune du tout. L'enfant chuchote, à tout hasard :

— Papa ?

— Haut les mains !

C'est Henry qui a crié, en poussant le bout de son vieux fusil de bois sur la tempe du marin qui dort.

Les yeux bleus s'ouvrent d'un coup, tout grands et tout ronds. Ils ne sont pas du tout bridés.

— Les mains en l'air, ou je te fais sauter la cervelle ! grogne Henry.

Le marin avale sa salive en regardant Harry et Henry.

— Qui vous êtes ? demande Harry, plein de curiosité.

Ce n'est pas papa, et ça n'a pas non plus l'air d'être un Jap.

— T'as pas le droit de coucher sur notre divan, dit Henry, sévère.

Le marin sourit, lève les mains au-dessus de sa tête :

— Ecoute, je ne cherche pas d'histoire. Je ne reste pas en ville. Je passais seulement.

— Dis donc ! s'écrie Harry, qui vient d'apercevoir le col et le bonnet. T'es dans la marine !

Le marin répond d'un sourire à Harry, mais Henry ne cède pas :

— J'ai dit « haut les mains ! »

Harry sourit à son tour et dit :

— C'est un Américain, Henry. Pas un Jap. Tu peux baisser ton fusil.

Et il appuie de la main sur le canon de bois.

— Tu vas faire la guerre aux Japs ? demande Henry, qui abaisse son fusil en ouvrant de grands yeux.

— Sans doute, répond le marin.

Il s'assoit, arrange sa cravate noire et se passe une main dans ses cheveux courts.

Henry est trop impressionné pour être vraiment déçu de n'avoir pas fait enfin un Jap prisonnier :

— Eh ben, dis donc !

Ils entendent le bruit métallique du standard dans le silence du matin et la voix de Nita, aussitôt :

— Allô, je vous écoute...

— Tu viens jouer avec nous dehors ? demande Henry en secouant le marin par l'épaule.

— Je voudrais bien. Mais il faut que je rentre à ma base, dit gentiment le marin, en se levant à côté de son sac.

— Pourquoi ? demande Harry en le regardant nouer le cordon du sac. Ton bateau s'en va ?

— Dans quelques jours, dit le marin.

Henry pousse son fusil dans le sac du marin :

— Et si les Japs te tuent ?

— Je ferai attention, dit le marin en lui tapotant la tête.

— Les enfants !

C'est la voix de Nita :

— Le téléphone pour Mme Lester.

Elle apparaît dans l'ouverture de la porte, en peignoir bleu :

— Allons, dépêchons-nous !

Harry se précipite vers l'entrée en criant au marin :

— Attends-nous !

Il court sur le perron, Henry sur ses talons.

Le marin fait un sourire à Nita :

— Bonjour...

Mais elle retourne à son standard. Elle dit, dans le téléphone :

— Ne quittez pas. On est allé chercher votre correspondante.

Elle retourne à la porte d'entrée :

— J'espère... que ce n'est pas... grave, dit-elle à mi-voix, pour elle-même plus que pour le marin, en regardant dans la cour.

Une fois de plus, le visage tourmenté de Francine Lucas surgit devant ses yeux. Oh non ! Ces voix militaires froides, rudes, sèches comme le papier des documents officiels, comme si c'étaient les mêmes papiers en cinq exemplaires qui circulaient d'un bout à l'autre du pays. Elle en a le sang glacé.

Elle voit la porte de Jean Lester s'ouvrir et la voisine qui court sur le chemin, entre Harry et Henry. Nita court au standard :

— Elle arrive, dit-elle, tout essoufflée.

Puis elle revient à la porte :

— Dépêchez-vous, Jean !

Le marin, sans bouger, la regarde traverser la cour, monter sur le perron. Il ne sait pas très bien pourquoi elle est si pressée, pourquoi les deux femmes ont l'air si inquiet.

Jean Lester pousse la porte et reste figée dans l'entrée, avec le bébé dans les bras, et regarde le marin d'un air angoissé :

— C'est Jack ?

Il bredouille :

— Je... Madame... moi...

— On vous attend, Jean, appelle Nita. C'est...
de Washington.

Jean monte encore deux marches jusqu'au
taxiphone accroché au mur, s'arrête et demande
d'une voix perdue :

— Nita ?

— Je ne sais pas, répond Nita à la question
muette.

Debout dans l'entrée, elle tripote machinalement la croix pendue à son cou.

Jean change le bébé de bras et décroche, les
yeux dans le vague. Elle dit, d'une voix basse,
troublante :

— Allô ?... Oui, c'est moi...

Elle se passe la main sur la bouche. Nita s'approche aussitôt et la serre contre elle, comme
pour soutenir, contre l'horrible nouvelle, le
corps si mince de l'autre femme et le tout petit
qu'elle tient sur son bras.

— Jack a été... dit Jean, éclatant en sanglots.

Puis, elle crie, dans le téléphone :

— Oui... oui... ?

— Il est... seulement blessé ! dit-elle à Nita,
à travers ses larmes.

Elle dit encore, dans le téléphone :

— Oui, j'entends... Oui, bien sûr...

Nita la serre contre elle.

— Je comprends, dit Jean. Merci. Merci bien.
Au revoir.

Elle raccroche et s'effondre en sanglots. Et le bébé se met à pleurer lui aussi.

— Il va revenir, dit-elle d'une voix étranglée.

Les larmes de Nita coulent sur les cheveux bruns de Jean :

— Dieu soit loué, murmure-t-elle.

— Oui, dit Jean, en larmes. Merci, Nita.

Elle serre le bébé sur son cœur mais il continue de pleurer. Elle se dirige vers la porte. Elle passe son bras libre autour du cou du marin et l'embrasse, un baiser mouillé de larmes :

— Merci ! Oh, merci !

Gêné, le marin lui tapote le dos en disant vaguement :

— Bien sûr... bien sûr...

Jean pousse la moustiquaire et elle crie à Harry et Henry qui traversent la cour à toutes jambes :

— Jack est vivant ! Il revient !

— Il a tué des Japs ? demande Henry.

Mais Mme Lester n'entend plus. Tout lui est égal. Elle retourne chez elle avec sa précieuse nouvelle. Nita s'essuie les yeux et sourit au marin.

— Bon... Alors, je m'en vais, dit-il en chargeant son sac sur son épaule. Merci pour votre hospitalité.

— Pas de quoi, dit Nita en souriant. Tant mieux si ça vous a rendu service. Quel orage, tout de même !

Le standard l'appelle. Elle sourit encore, lève

la main en signe d'adieu et rentre dans la grande pièce.

Henry grimpe les marches :

— T'es prêt, maintenant ?

— Prêt à quoi ? demande le marin, tout sourire, en sortant avec son sac.

Harry est exaspéré. Les poings sur les hanches, il dit :

— Ben, t'es dans la marine, non ?

9

A TOUTE VAPEUR, L'ÉNORME NAVIRE FEND LES vagues étincelantes de soleil, droit vers la haute mer. Sans préavis, le petit garçon se sent soudain saisi d'un sombre pressentiment.

Teddy lève les yeux du ruisseau débordant de pluie et regarde les souliers éculés et les jambes de la combinaison râpée qui le surplombent.

— M. Bailey! crie Henry, tout excité. Salut!

— Regarde ce qu'on a!

Harry retire de l'eau le bateau à roues à moteur élastique.

— C'est Teddy qui l'a fait! dit Henry, montrant le marin du bout du doigt.

Teddy se sent coincé, observé par l'œil qui louche. Inquiet, il se met sur ses pieds. Mais M. Bailey se contente d'un signe de tête et s'accroupit à côté des enfants pour regarder Henry remonter le moteur du bateau. Teddy se détend et regarde le petit navire traverser lentement la mare boueuse, et Henry glousse de joie en battant des mains.

Au bout d'une minute, M. Bailey se remet debout, et son ombre reparaît sur la mer intérieure.

— Faut que vous partiez, M. Bailey ? demande Harry.

L'homme à tout faire répond oui de la tête et regarde Teddy d'un air particulier. Il fait un demi-sourire d'approbation, insolite, avec autre chose en plus : La curiosité ? Un défi ? Une menace ?

Teddy lui rend son sourire, indécis, gêné devant son vis-à-vis silencieux.

— Au revoir, M. Bailey, dit Henry en remontant encore le bateau.

M. Bailey s'en va. Mal à l'aise maintenant, Teddy s'accroupit à côté des enfants. Que signifie ce regard ? Il est gêné de ne pas le savoir. Il regarde encore une minute le petit navire clapoter parmi les herbes, puis il regarde le soleil. Avec un peu de chance, il pourrait rentrer en stop à la base en moins de deux heures. Il dit :

— Les enfants, il va vraiment falloir que je m'en aille aussi.

— Mais les cerfs-volants, Teddy ! proteste Henry d'une voix inquiète.

— Hein ? dit-il, étonné.

— Les cerfs-volants ! dit Henry. Tu sais pas les faire, les cerfs-volants ?

Teddy repousse son bonnet et se gratte le

crâne, en regardant tour à tour les deux petits visages blonds suppliants. Il murmure :

— Les cerfs-volants...

Nita les regarde tous les trois de la porte, en train de couper des badines dans le terrain vague pour s'asseoir ensuite dans la terre sous l'arbre de Chine. Leurs têtes blondes réunies, ils découpent des sacs de plastique de l'épicerie avec ses ciseaux à couture et collent les morceaux sur les baguettes, avec la colle de pâte qu'elle leur a préparée.

Il est gentil, ce garçon, de passer tout ce temps avec les enfants, alors qu'il a ses soucis à lui. De la grande pièce où elle coupe des tranches de pâté pour le dîner, elle entend des éclats de rire.

— Tire dessus ! crie Teddy.

Il y a encore des gloussements de rire, puis on entend Harry qui crie :

— Ça y est ! Ça y est !

Elle arrive à la moustiquaire assez vite pour voir son fils aîné courir à toutes jambes dans les buissons, sous l'œil indifférent de la vache qui rumine tandis que le cerf-volant tournoie, de plus en plus bas, avant de tomber.

— Attention, la vache ! crie Henry.

Et Nita éclate de rire en voyant le cerf-volant atterrir dans les cornes de l'animal affolé, qui se claque les oreilles à grands coups de queue. Elle rit tout haut, d'un rire presque excessif qu'elle ne peut pas retenir, en regardant la vache qui, les jambes raides, dépasse du buisson et qui beugle en arrachant le fil des mains de Harry.

Henry et Teddy rient si fort qu'ils ont du mal à rester debout.

— Touche pas au cerf-volant, ma vache ! crie Henry.

Mais la vache réussit à arracher son chapeau de papier sur une branche et le piétine.

Nita, sans cesser de sourire, retourne à son pâté. Ses enfants jouent autrement, avec un homme, autrement qu'avec elle ou entre eux. Elle l'a déjà remarqué quelquefois quand ils jouent avec M. Bailey, pour autant que le pauvre estropié puisse jouer, mais il y a une espèce d'électricité dans l'air, comme cet après-midi, une excitation particulière, comme s'il y avait là-dedans autre chose que ce qu'une mère peut apercevoir d'un coup d'œil distrait par la fenêtre de sa cuisine. Comme si les règles du jeu étaient un rien plus sérieuses...

Soudain, Nita découvre leur visage à tous les deux, ses fils, Harry et le tout petit, Henry aussi, le visage qu'ils auront quand ils fabriqueront à leur tour des cerfs-volants pour d'autres enfants, et elle frissonne en pensant qu'ils seront peut-être marins, sur le point de rejoindre leur bateau qui lèvera bientôt l'ancre sur l'océan tout noir. C'est cela qui survolte leurs jeux avec les hommes, savoir que ce n'est pas tout à fait un jeu, que l'autre partie, celle qui les fait courir plus vite et plus longtemps, et sauter plus haut et plus loin, n'est pas du tout un jeu, mais le

rituel d'un apprentissage, la préparation à toutes les actions viriles de leur vie future, et qu'ils
ne comprennent pas encore tout à fait.

Un jour, dans peu de temps en somme, ses
enfants seront des hommes.

Quand elle revient à la porte, quelques minutes plus tard, pour les appeler à table, Teddy et
les garçons sont déjà en train de revenir à la
maison, ils traversent le chemin en riant et en
discutant.

Teddy lève les yeux, elle lui fait un signe de
la main et il répond à cette femme souriante qui
les attend à la porte rose.

— Le dîner est servi, dit-elle.

Et, tout de suite, elle disparaît, parce que le
standard l'appelle.

Teddy ralentit le pas. Il réfléchit, il revoit
à travers la porte ouverte des souvenirs pour
plus tard. Le dîner est servi. Des cerfs-volants
avec leur longue queue, des bateaux à moteur
en caoutchouc. Des enfants et une vache dans
un terrain vague. Une femme à la porte. Des
choses que la Marine lui a fait oublier. Il
s'arrête au bout de la cour et regarde les deux
enfants grimper le perron en courant.

— Chouette, alors ! s'écrie Harry. Du pâté !

Il se retourne :

— Hé, Teddy ! Il y a du pâté !

Des enfants. Avec Charlotte, ils n'ont jamais
parlé d'enfants, mais il avait toujours pensé
qu'ils en auraient. Quatre ou cinq peut-être.
Charlotte... il l'avait presque oubliée, un moment.

Elle est si jolie et si gentille ! A la maison, le dîner qui mijote sur le feu, un traversin dans sa taie brodée sur le lit, des bas qui sèchent dans la salle de bains. Charlotte...

Henry continue de rire en se trémoussant sur sa chaise :

— J'ai jamais vu une vache sauter comme ça ! dit-il en piquant sa fourchette avec force dans sa purée.

Même Nita se remet à rire, avec cette impression bizarre qui ne la quitte pas.

— Qu'est-ce qu'on va faire demain, Teddy ? demande Harry.

— Tu sais, Harry, dit Teddy lentement, il va falloir que je m'en aille ce soir.

Il se dit qu'il aurait dû y penser à l'avance, mieux se préparer à cet instant qui devait fatalement arriver. Le sourire de Harry s'évanouit.

— Non, Teddy ! T'en vas pas ! dit Henry en renversant une pleine fourchette de purée sur la nappe.

Teddy regarde tour à tour Harry et Henry :

— Je n'y peux rien, dit-il doucement.

— Non, Teddy, proteste Harry en repoussant son assiette. Faut pas que tu t'en ailles.

Il se tourne vers sa mère avec des yeux tout sombres :

— Hein, maman ?

Nita hésite un court instant sous le regard pressant de son fils. Puis elle regarde Teddy :

— Si vous voulez rester, dit-elle, je ne demande pas mieux.

Il retrouve cette impression familière, à peine consciente, inaccessible, comme avec Charlotte... Il lui rend son sourire.

— Tu restes ? s'écrie Harry en sautant de sa chaise, tout son visage barré d'un grand sourire.

— Oui, tu restes ! reprend Henry.

— Je ne..., commence Teddy en tripotant son verre d'eau, les yeux fixés sur Nita.

— Allez, Teddy ! dit Harry en le tirant par la manche. Hein, maman ?

Nita fait un sourire à Harry, puis à Teddy. Puis elle dit, en hésitant :

— Nous... tous les trois... nous aimerions bien que vous restiez.

— Sûr ! dit Henry.

— Je..., dit encore Teddy.

Il y a des souvenirs qui lui échappent encore, mais d'autres qui reviennent en foule : la base navale avec ses rassemblements au garde à vous ; le goût de papier mâché de la nourriture ; l'odeur pénétrante de centaines d'hommes enfermés, des officiers furieux ou déprimés ; les gosses comme lui, perdus, affolés ; les gros navires creux qui, frappés par les vagues obscures, résonnent comme des tam-tam de guerre et des tocsins, si bien que votre corps est secoué à la fois du dehors et du dedans par le choc et son écho, la force partout présente de la profondeur et de la mort, par l'eau ou par le feu, qui pourrait venir, qui viendrait de n'importe où, de partout, n'importe quand, pour toujours...

— Je suis toujours en permission..., dit-il, d'une voix hésitante.

— C'est vrai ? s'écrie Harry en saisissant Teddy par le bras. C'est bien vrai ? Tu restes ?

Teddy regarde le sourire de Nita, hausse les épaules imperceptiblement et acquiesce d'un signe de tête.

— Chouette ! dit Henry en donnant un coup de pied qui fait résonner la table de métal.

On se croirait en famille, pense Teddy. Tous les quatre. Pas exactement la famille dont il rêvait quand il était parti rejoindre Charlotte, pour lui demander peut-être sa main, avec la permission de M. Shinn... Mais tout ça est fini, se dit-il en hochant gravement la tête. Nita se met à rire :

— Bien, dit-elle, c'est entendu. Et maintenant, les enfants, au lit.

Henry repousse sa chaise en regardant Nita, pour voir si elle a remarqué le petit tas de purée sur la nappe à côté de son assiette.

— Dis, Teddy, demande Harry avec un sourire, tu vas être notre papa ?

— Voyons, Harry! proteste Nita.

Teddy a l'air gêné. Henry pose tout doucement son verre de lait juste sur la purée pour en faire un rond blanc parfait.

— Je demande seulement, maman, dit Harry.

Pourquoi a-t-elle l'air si bouleversé ? Pourquoi est-ce que Teddy rougit ? Harry regarde sa mère, tout gêné.

— Bon, dit Nita en l'attirant contre elle pour

l'embrasser avant la nuit. Ce n'est pas une question qu'on pose aux gens. Et maintenant, ouste, au lit tous les deux !

— Oui, m'man, murmure Harry en lui rendant son baiser.

Pourquoi ça, une question qu'on ne pose pas ? Tandis que Henry se jette dans les bras de Nita pour l'embrasser à son tour, Harry, perplexe, se tourne vers Teddy. Pourquoi ? Mais Teddy sourit en lui tendant les bras. Il embrasse Harry tendrement. Il savoure l'étreinte des petits bras autour de son cou, l'haleine tiède sur sa joue. Pendant ce temps, Henry se penche de l'autre côté, enfouit son visage dans la chemise de Teddy.

— Bonne nuit, les petits, dit-il en les embrassant tous les deux, avec un sourire à Nita par-dessus leurs deux têtes.

Il est heureux de rester.

— Chouette ! Teddy reste chez nous ! crie Henry en gambadant vers la chambre.

Harry le suit lentement, en se frottant la joue. Il avait oublié que ça gratte, d'embrasser un homme...

Quelques minutes plus tard, les enfants sont allés aux toilettes, ils sont couchés, Teddy ferme leur porte et s'assoit sur le bord du divan de Nita :

— J'ai passé une merveilleuse journée, dit-il.

— Les enfants aussi, dit-elle en terminant une communication au standard. Ils n'ont pas sou-

vent quelqu'un pour jouer avec eux. M. Bailey,
c'est à peu près tout.

— Pauvre gars, dit Teddy. Avec sa figure...

— Ça leur est égal, aux enfants.

Teddy la regarde, timidement :

— Je ne voudrais pas être indiscret... mais
où est leur père ?

Nita se retourne lentement vers le standard :

— J'ai divorcé, dit-elle en soupirant. Il y a
quatre ans. C'est long...

— Pardon, murmure-t-il. Ça ne me regarde
pas.

— Mais non, ça ne fait rien, dit-elle, doucement, sans cesser de lui tourner le dos. Il buvait,
il jouait... Vous voyez ? J'ai pris les petits et je
suis partie. J'ai fini par arriver ici, avec le téléphone. Je m'étais dit que tout valait mieux que
la vie avec lui.

— C'est moche, dit Teddy, plein de compassion.

— Il y a du pour et du contre, dit Nita en
haussant les épaules. Mais, tout de même, j'aimerais bien qu'il écrive de temps en temps,
qu'il donne signe de vie. Surtout pour Harry.
Henry était tout bébé au moment du divorce.
Il ne se souvient de rien. Mais Harry, lui, était
assez grand pour se rappeler qu'il avait un
père... Il se rappelle qu'il jouait avec lui.

Nita a un petit rire :

— Pauvre Harry... il garde tant de choses sur
le cœur, sans en parler...

Il arrive à Nita de se demander si elle n'a pas

été égoïste en divorçant, si elle n'a pas tenu compte uniquement de ses propres sentiments, sans se soucier de ceux de son aîné.

— Il attend lui aussi que son père revienne, dit-elle tristement. A sa façon, il est aussi obsédé que Henry avec sa chasse aux Japs.

Elle regarde ses mains croisées. Teddy a senti le regret dans sa voix, le chagrin qu'elle ne s'avoue même pas à elle-même. Chacun a ses problèmes. Il y a seulement quelques minutes, il était tout content d'être tombé dans une petite famille si heureuse, avec cette femme si aimable, si énergique, et ces deux enfants si vivants, juste au moment où il avait besoin qu'on lui remonte le moral. Et maintenant, il voudrait pouvoir faire quelque chose pour leur remonter le moral à eux, à cette jolie femme si aimable. Il dit, brusquement :

— Dites donc... et si j'emmenais les enfants à Corpus demain, voir un film ?

Il se demande pourquoi l'idée ne lui en est pas venue plus tôt. Nita a l'air étonné.

— Il n'y a que vingt-cinq kilomètres, dit-il avec enthousiasme. On pourrait prendre l'autocar.

— Oh, ils vont être fous de joie ! dit Nita. Ils n'ont jamais été au cinéma ni l'un ni l'autre.

— Et si vous veniez avec nous ? propose-t-il avec un sourire.

La réponse vient du standard, qui se met à sonner et à cligner de l'œil. Nita fait une grimace en enfonçant la fiche :

— Je voudrais bien, dit-elle tristement.

Il baisse la tête.

— Allô, j'écoute..., dit-elle.

A la porte de la pièce de devant, Teddy lui fait un geste en silence, pour lui souhaiter bonne nuit. Il est tout heureux de la voir sourire en réponse. Il referme la porte et la pièce devient noire. Demain, il ne va pas s'ennuyer.

Dehors, la silhouette aux aguets dans le terrain vague ne peut plus voir Teddy. Elle ne voit plus que la forme de Nita, assise devant le standard, éclairée par la lampe sans abat-jour.

10

— T'ES HARRY-THE-SAILOR-MAN !
C'est Teddy qui chante en imitant la célè-
bre chanson de Popeye, en tirant son bonnet sur
ses yeux et en clignant de l'œil.

Harry les regarde dans le miroir du magasin,
entre les rayons de pantalons et de chemises. Ils
sont habillés tous les trois de la même façon,
en marins, avec la tenue blanche et le bonnet
blanc sur leurs cheveux blonds. Il se tourne
vers Henry et lui fait le salut militaire, avec
un sourire en prime. Henry lui rend son salut
en éclatant de rire :

— A vos ordres, Commandant !

Harry n'a jamais été dans un aussi grand
magasin, dans une aussi grande ville. Le matin,
Teddy a crié :

— Debout là-dedans ! Pas une minute à perdre ! On va à Corpus !

Aussitôt assis dans son lit, Harry a demandé,
incrédule :

— Où ça ?

Teddy a répété :

— A Corpus !

— Corpus !

Henry s'est mis à sauter à pieds joints sur son lit en criant de joie.

— Oui, à Corpus !

Teddy a attrapé Henry au vol et l'a posé par terre :

— On va aller au cinéma et on va manger plein de popcorn.

Le cinéma ! Et l'autocar, plus gros que la maison ! Et les milliers de gens qui passent sur les trottoirs, dans les rues pleines de voitures et de camions ! Les plages immenses où on chahutera avec Teddy ! Les hot-dogs longs comme ça, pleins de fromage et de moutarde et de piment rouge ! Les mystérieuses machines à sous pour les grandes personnes seulement, décorées de filles en costumes de bain rouges et jaunes sous les palmiers, ou bien avec des batailles de chars et d'avions qui font rage dans les lampes qui s'allument et s'éteignent en faisant du bruit, pendant que les billes d'acier rebondissent d'un plot à l'autre !

Et aussi les costumes de marin ! Harry sait que le col rectangulaire et le pantalon à boutons l'ont fait entrer instantanément dans la fraternité des militaires. Maintenant, il peut saluer les hommes en uniforme qu'ils croisent dans la rue, et on lui rendra son salut à cause de sa tenue blanche, avec des étoiles sur les manches, et de sa cravate noire au nœud réglementaire.

En sortant du magasin, par l'étonnante porte tournante, sur le trottoir plein de monde, il essaie. Et un militaire en kaki lui rend son salut avec un sourire !

— On va aller voir ton bateau, Teddy ?

Ils ont salué tous les trois deux officiers de marine qu'ils croisent.

— Bien sûr, dit Teddy. On y va.

Ils montent sur le pont suspendu qui traverse la baie. Harry est bouche bée en voyant des centaines de navires de guerre, pas plus grands que des jouets, partout sur l'eau en dessous d'eux. Il en a le vertige, de regarder en bas.

— Eh ben, dis donc ! s'exclame Henry, penché sur la balustrade. Où il est, le tien, Teddy ?

— Je ne sais pas, dit Teddy, en regardant la flottille endormie. On ne nous dit pas grand-chose...

Tous trois regardent l'eau qui danse sous le soleil jusqu'au large, de plus en plus bleue, jusqu'à emplir l'horizon du monde entier. Puis elle déborde dans les baies et sous les ponts d'Europe, d'Afrique, et, quelque part par là, encore plus loin, des îles du Japon.

— C'est là-bas que tu vas, Teddy ? demande Harry à mi-voix.

La tête lui tourne, tandis qu'il fixe les lointains aux vagues moutonneuses.

— Je ne sais pas non plus, dit doucement Teddy en prenant la main de Harry. On ne me dit vraiment pas grand-chose.

— C'est là-bas qu'ils sont, les Japs ? demande Henry, tout excité.

— Peut-être pas juste là-bas, dit Teddy en souriant. Mais par là, oui, il y a des Japs.

— Tu vas en tuer, des Japs ? demande Henry. Teddy lui tapote la tête :

— Je ne sais pas, Henry. Vraiment, je ne sais pas.

Harry a la tête qui lui tourne et il se cramponne à la main de Teddy. Il ne veut plus penser aux Japs, aux petits navires et aux océans insondables, ni à ce pont où l'on est si haut dans l'air, si loin de tout ce qu'on connaît, sans rien dessous pour s'appuyer. Un instant, il se sent comme un ballon gonflé d'un gaz qui lui emplit la tête et qui va s'envoler. Maman !

Teddy lui serre la main et il l'emmène.

— Alors, dit-il, on va au cinéma, maintenant ?

— Youpi ! crie Henry.

Et Harry approuve en silence, maintenant qu'ils retournent sur la terre ferme. Quelques minutes plus tard, ils se retrouvent, éblouis, devant la façade, toute en glace bleue, d'un cinéma. La caissière, dont les cheveux sont tout bleus aussi derrière sa vitre et ses barreaux, dit à Teddy :

— C'est trente-cinq cents pour vous et sept cents par enfant.

Le lourd rideau de velours se lève en grinçant et l'écran s'éclaire lentement. Harry glousse de plaisir et entend Henry, de l'autre côté de Teddy, qui glousse aussi. Le cinéma ! Un vrai film !

Il lit tout haut les lettres qui apparaissent sur l'écran :

— La Marche du Temps.

Et il demande à Teddy :

— Ça veut dire quoi ?

— Chut ! dit Teddy. Les actualités.

Henry, assis au bord de son fauteuil, regarde, avec de grands yeux, des hommes en quantité qui traversent l'écran en marchant, les jambes raides. Et ils crient si fort « Heil Hitler » qu'il sursaute.

Harry se fourre une pleine poignée de pop-corn dans la bouche en riant, sans quitter des yeux les silhouettes qui défilent devant lui.

— Chut ! chuchote Teddy à Henry. Ça s'appelle le pas de l'oie.

— Le... quoi ? demande Henry en riant.

— Le pas de l'oie, répète Teddy, toujours à voix basse.

— Le pas de l'oie ! éclate Henry d'une voix retentissante, incrédule, en voyant les Nazis retraverser l'écran en sens contraire.

Teddy fait « chut » un peu plus fort, pendant que Harry continue à manger son popcorn.

Et puis, aussi soudainement qu'ils sont apparus, les soldats s'évanouissent, remplacés par un match de base-ball. Le speaker explique que Joe DiMaggio a encore marqué deux points. Et on le voit, dans sa tenue rayée avec le numéro 5 dans le dos, qui court avec un grand sourire pendant qu'un orchestre invisible joue un air entraînant.

Après quoi l'écran devient noir un bon

moment. Harry a peur que ce soit fini, mais des mots apparaissent. Il lit tout haut :

— John Wayne...

— Qui c'est ? demande Harry.

— Chut ! dit Teddy. C'est la vedette du film.

— ...dans *Les Tigres Volants*, lit Harry.

— Ah, dis donc ! Des Tigres ! s'exclame Henry.

— Chut ! dit Teddy.

— Chut ! dit aussi un spectateur assis derrière eux.

Mais ils s'aperçoivent très vite qu'il n'y a pas de tigres dans le film. Rien que des yeux et des dents horribles peints sur des avions, et des hommes dedans.

— Les Japs ! hurle Henry lorsque le premier personnage aux yeux bridés et au vilain sourire apparaît.

— Chut ! dit l'homme derrière.

Des hommes, des avions, des Japs... et quelque chose que Henry n'avait guère rencontré jusque-là : quelque chose qu'on appelle la Mort.

Les P. 40[1] bourdonnent comme des guêpes en colère, comme si leurs dents peintes étaient aiguisées par la faim, leurs yeux froids tout ronds visant les Zéros[2], dans le ciel moucheté de fumée, avec leurs mitrailleuses déchaînées.

Henry, passionné, donne des coups de pieds dans le siège devant lui.

1. Le « P. 40 » était un des chasseurs américains pendant la Deuxième Guerre mondiale. (*N.d.T.*)

2. Le « Zéro » était l'avion de chasse standard japonais. (*N.d.T.*)

Alors, il reste bouche bée: avec une horrible soudaineté, une balle perce le Zéro et il voit le sourire du pilote japonais devenir une grimace de douleur et de stupéfaction. Cramponné au dossier du fauteuil devant lui, Henry se lève, écrasant du coup le paquet de popcorn sous son pied.

Le sang, tout sombre, gicle de la bouche et des oreilles du Jap qui grimace, et sa tête roule de côté, inconsciente, et ses mains molles lâchent les commandes de l'avion, comme un oiseau que Henry a vu un jour abattu d'un arbre par Emile Lucas, avec son fusil. Il regarde sans y croire. Emile Lucas est mort maintenant, c'est maman qui l'a dit.

En sifflant, l'avion tombe en vrille, inconscient, dans la mer en dessous, laissant une traînée de fumée et une écume de sang.

Tout près, John Wayne penche son avion sur le côté, avec un sourire triomphant, en voyant le Zéro hurlant exploser en une boule de feu. Et il ne reste plus rien, ni les ailes, ni le fuselage, ni la queue, ni le siège du pilote, ni l'homme au visage sanglant et aux yeux bridés mi-clos. Parti. Fini. Brûlé. Mort. Parti. Et l'avion de John Wayne rit de toutes ses dents peintes.

Stupéfait, Henry a oublié Teddy, oublié Harry, oublié qu'il est au cinéma à Corpus, tout oublié sauf les images qui passent devant ses yeux bleus tout ronds.

Teddy lui touche le dos:

— Henry ?

Henry sursaute et se retourne.

— Ça va, Henry ? demande Teddy.

Mais Henry cligne des yeux et avale sa salive : c'est tout ce qu'il arrive à faire. Il se rassoit, tandis que deux pilotes japonais tout souriants prennent John Wayne en chasse en tirant ce que Henry reconnaît maintenant comme des balles, qui peuvent vous tuer. En gémissant, il se cache sous le siège de devant, terrifié, sans pouvoir regarder.

— Ils l'ont eu ?

— Pas encore, dit Teddy, les yeux rivés sur l'écran.

— Chut ! dit le spectateur derrière.

Quand Henry, une minute plus tard, ose regarder de nouveau, c'est pour être cueilli par une nouvelle rafale mortelle des mitrailleuses japonaises. Et de nouveau il se cache les yeux, il plonge derrière le siège. Il demande encore :

— Ils l'ont eu ? Ils l'ont eu ?

— Pas encore, murmure Teddy. Pas encore.

Quand il regarde de nouveau, le P.40 de John Wayne pique en un large virage, sa gueule grinçante pointée vers la mer.

— Ils vont l'avoir, dit Henry désespéré en se recroquevillant derrière le dossier, la tête dans les bras.

Il voit d'avance le sang qui va couler de la grande et belle bouche de John Wayne, les yeux qui s'obscurcissent, la tête avec ses lunettes qui tombe lentement sur la poitrine...

Henry ne rouvre ses yeux pleins de larmes

qu'une fois la lumière revenue dans la salle. En
sortant avec la foule, d'un pas hésitant, la main
dans la main de Teddy, il lève la tête en reniflant :

— Ils l'ont eu, hein ?

— Non, dit Teddy en souriant. C'est lui qui
les a eus.

— C'est vrai ?

Il regarde d'un air méfiant Harry d'abord,
puis Teddy.

— C'est vrai, dit Teddy.

Il les a eus ! Mais avant que Henry retrouve
son sourire, le souvenir des deux pilotes japonais
le ramène au bord des larmes. Il les a eus !
Henry revoit leurs bouches sanglantes et molles,
leurs doigts impuissants, leur peau qui se refroi-
dit et qui durcit comme celle de l'oiseau mort.

Il tâte son propre bras. Il est chaud. Il n'est
pas fait de traits noirs sur un bout de papier
qu'on peut fourrer dans sa poche. Il est réel.
Comme lui-même. Comme John Wayne. Comme
Teddy. Ils auraient pu l'avoir, mais c'est lui qui
les a eus. Ils auraient pu l'avoir.

Henry se cogne contre la jambe de Teddy.

— Hé, capitaine, dit Teddy en se penchant sur
la moquette du foyer du cinéma pour prendre
Henry.

Il l'installe contre sa hanche avec un bras
autour de la taille, en tenant la main de Harry
de l'autre côté :

— Qu'est-ce que vous diriez d'un Coca, avant

d'aller reprendre le car pour rentrer à la maison ?

Henry s'essuie les yeux et passe ses deux bras autour du cou de Teddy :

— Je pourrai avoir une orange pressée ? dit-il en reniflant.

— Bien sûr, dit Teddy. Tiens, voilà un officier, ajoute-t-il à voix basse en arrivant dans la rue. Il faut le saluer !

Et comme le lieutenant de vaisseau croise les trois amis en uniforme, ils lui font ensemble un salut impeccable.

Harry regarde autour de lui, étonné. Il fait nuit dehors. Au-delà de la lumière des centaines de petites ampoules pendues sous la marquise étincelante, l'après-midi ensoleillée est devenue une nuit noire pendant qu'ils étaient dedans.

Il serre la main de Teddy. Quelle journée incroyable !

11

NITA N'EST PAS HABITUÉE A ÊTRE SEULE LE soir à la maison, sans les enfants. Sans les petites voix dans la pièce de derrière, sans les vers luisants qu'ils attrapent au coucher du soleil pour les mettre dans des bocaux, sans l'émission radio pour les jeunes, sans la séance d'équitation rituelle d'Henry à cheval sur le bras du canapé marron qui lui sert de coursier.

Elle sort par la porte de derrière dans la cour obscure et sourit en pensant à Teddy, se demandant s'il ne s'est pas attaqué à trop forte partie en se chargeant des deux petits pour toute la journée.

Elle ouvre la porte des toilettes et la referme, verrouillée, sur elle :

— Est-ce que Teddy va être notre papa ?

Le pauvre Harry a été si stupéfait qu'elle le secoue si fort à cause de sa question !

Quand elle revient vers la maison, deux phares

passent sur la route, dont les lumières se balancent à travers le terrain vague où broutent la vache. Nita fronce le sourcil.

Dans le terrain vague. Il y a quelque chose. Qu'est-ce que ça peut bien être ? Quelqu'un ! Là, dans la lumière blafarde, il y a non seulement la forme de la vache, dans le fond, mais aussi, plus près, elle en est sûre, il y a une silhouette d'homme, la tête et les épaules découpées en noir par la lumière des phares.

La voiture est passée. Brusquement prise de peur, Nita court à la porte de derrière et la verrouille derrière elle. Elle éteint tout de suite la lumière dans la pièce de derrière et regarde la route par la fenêtre mais, dans l'obscurité retombée, elle ne voit plus rien dans le terrain vague, pas même la vache, ni le buisson qui est pourtant là, elle le sait bien.

Ce n'était rien, bien sûr. Elle s'est fait des idées. C'est parce qu'elle n'a pas l'habitude d'être seule. C'étaient des branches et des feuilles dans la nuit d'été. Mais elle a le cœur qui bat trop vite et le souffle trop court pour arriver à croire qu'elle n'a rien vu de plus sérieux. Dans la grande pièce, elle prend son casque d'un geste hésitant et, après un dernier regard vers le rectangle noir de la fenêtre, elle enfonce la fiche.

— Allô, le Shérif ? M. Watson ? Ici Nita Longley. Excusez-moi de vous déranger mais... voilà, je crois qu'il y a quelqu'un qui me regarde par ma fenêtre...

C'est trop bête ! Les autres soirs, avec Harry

et Henry qui trottent partout comme des chiots en liberté, des chiots qui jouent et qui rient, elle n'a pas le temps de penser à des choses comme ça. Elle n'a pas l'habitude, voilà tout.

— Oui, M. Watson. Je crois que j'ai vu quelqu'un de l'autre côté de la route, debout, sans bouger... Je serais rudement contente, dit-elle, comme il lui propose de venir voir. Merci beaucoup.

Quelques minutes plus tard, elle voit la voiture passer lentement devant la maison, éclairer le terrain vague de son projecteur. La vache est toujours là, bien sûr, qui regarde bêtement l'intrus. Mais pas de silhouette humaine.

La voiture s'arrête devant la maison et Nita va à la porte.

— Je n'ai vu personne, Mme Longley, dit le shérif en passant son fusil dans sa main gauche et en ôtant son chapeau pour entrer.

— J'aurais pourtant juré qu'il y avait quelqu'un là-bas.

— C'est possible, dit le shérif. Mais ils sont partis, s'il y avait quelqu'un. Il n'y a personne là-bas, qu'une vieille vache.

Il a un bon sourire paternel.

— Je vous remercie vraiment d'être venu, dit Nita. J'ai eu un peu peur.

— Appelez-moi quand vous voulez. Vous avez une arme, chez vous ?

Nita fait signe que non. Elle n'a jamais voulu en avoir dans la maison, à cause des enfants, bien sûr.

— Ça ne serait pas inutile, grogne le shérif en lui tendant son fusil. On ne sait jamais. J'ai confisqué celui-là à un Mexicain. Il ne vaut pas grand-chose, mais il marche. Il avait enlevé la tête d'un bonhomme, ce truc-là...

Nita en a le souffle coupé et elle retire sa main.

— Ce n'était pas moi, dit le shérif. C'était le Mexicain.

Il tend de nouveau le fusil :

— Il est armé, attention! dit-il tandis que Nita le prend à deux mains, maladroitement, en le regardant comme si c'était un objet bizarre tombé d'une autre planète.

— S'il y a quelqu'un qui vient traîner par ici, vous visez et vous tirez. C'est ce que je fais chez moi, dit-il en ouvrant la porte de devant. Après, vous n'aurez plus de problème.

Il remet son chapeau sur sa tête et sort sur le perron :

— Et donnez-moi un coup de fil quand vous aurez trop peur.

— Promis, dit Nita, toujours embarrassée par le fusil. Merci, M. Watson.

Elle verrouille la porte derrière lui et regarde le métal froid. Il faut trouver un endroit où le ranger. Toute raide, elle le porte dans la grande pièce. Voilà! Derrière le standard : les enfants savent qu'ils n'ont pas le droit de jouer là.

Le fusil bien caché, à l'abri, elle retourne au carré noir de la fenêtre, dans la pièce de derrière, et regarde le terrain vague et ses hautes

herbes, cherchant des yeux une forme, un mou-
vement, un signe, n'importe lequel, qui lui
confirmerait la réalité de ce qu'elle sent : il y a
eu quelque chose là-bas, et pas seulement la
vieille vache.

12

HENRY SE MET DEBOUT SUR LE SIÈGE, DANS l'autocar, pour s'assurer que Teddy et Harry sont bien assis juste derrière lui. Ils y sont. Alors, il se remet à genoux, pour examiner le vieux Monsieur assis dans le fauteuil à côté du sien, du côté de la fenêtre.

— Salut, dit Henry, en se penchant vers lui avec un sourire.

L'homme regarde un instant dans la direction de Henry avec un regard amer et se retourne vers la fenêtre.

— J'ai dit : Salut ! répète Henry en se penchant, presque jusqu'à tomber sur les genoux du voyageur.

Posant sur l'enfant un regard sévère, l'homme se dégage et finit par dire :

— Bonjour.

D'une voix aussi froide que ses yeux.

Henry se redresse avec un sourire, mais l'autre se retourne vers sa fenêtre.

— Je m'appelle Henry, dit Henry, sans se décourager.

Puis, comme rien ne vient, il ajoute :

— Henry Lee Longley. C'est mon nom entier.

Pour la première fois, le regard de l'homme manifeste une lueur d'intérêt.

— Comment tu t'appelles ? demande alors Henry, gravement. Moi, je t'ai dit mon nom.

— Voss, dit l'homme.

— Voss ? s'écrie Henry. Tu t'appelles vraiment Voss ?

— C'est mon nom de famille, dit l'homme, agacé.

— Ah, bon, dit Henry. Et ton autre nom ?

— Mon prénom ? demande l'homme.

Henry fait signe que oui. L'homme se penche pour voir si personne ne l'entend et murmure :

— Dudley.

— Hein ? crie Henry.

— Dudley, chuchote l'homme.

— C'est aussi drôle que ton autre nom ! crie Henry, toujours aussi fort. Ça, alors ! Dudley Voss !

Avec un regard toujours aussi farouche, l'homme se retourne vers la vitre. Il fouille dans sa poche et en sort un cigare.

— Tu me donnes la bague ? demande aussitôt Henry.

Sans regarder l'enfant, l'homme lui tend la bague, rouge foncé et or, avec une inscription en écriture manuscrite.

— Tu vois ? J'ai une bague ! dit Henry en montrant son médius ainsi orné.

L'homme se colle le cigare dans la bouche sans répondre.

— Tu sais, Dudley, on a été à Corpus Christi, dit encore Henry en contemplant sa bague. On a vu un film...

Il reprend son souffle. Puis :

— Tous les Japs, ils ont été tués.

— Ah, oui ? dit l'homme avec indifférence, en mâchonnant son cigare.

— Oui, confirme Henry, la voix fêlée par sa récente découverte de la mort. Tu connais ça, toi, les gens qui sont tués ?

— Hé, là-bas ! dit le conducteur de l'autocar. C'est défendu de fumer !

L'homme regarde d'un air furieux dans la direction du conducteur, mais ne dit rien.

— Le film, il s'appelait *Les Tigres Volants*, poursuit Henry. Mais c'était pas des tigres qui volent, c'était un film de Japs qu'on tue...

Il regarde l'homme :

— Il y avait aussi le pas de l'oie. Tu connais, toi ? Le pas de l'oie ?

— J'ai dit que c'est défendu de fumer dans le car, crie encore le conducteur, les yeux braqués dans son rétroviseur.

L'homme regarde encore froidement le conducteur, sans enlever son cigare.

— Dis, Dudley, dit gentiment Henry, le chauffeur, il dit que c'est défendu de fumer dans l'autocar.

Pas de réaction.

— Dudley... ? dit Henry.

— J'ai entendu, dit l'homme, exaspéré.

Il retire son cigare et en montre le bout à Henry :

— Je ne fume pas, dit-il. Je mâche. Tu vois bien, non ?

— Ah, dit Henry, étonné, en regardant le bout du cigare. Et pourquoi tu le fumes pas ?

— Parce que, dit l'homme de plus en plus furieux, parce que c'est défendu de fumer !

— Ah oui, dit Henry en souriant. C'est vrai.

L'homme remet le bout mâchonné dans sa bouche.

— Hé, monsieur, là-bas ! crie le conducteur, furieux, dans son rétroviseur. J'ai dit que c'est défendu de fumer !

L'homme s'apprête à jeter son cigare avec rage, mais Henry le lui prend de la main. Il se lève de son siège, remonte lentement l'allée en se tenant aux accoudoirs, et arrive à côté du chauffeur. Et il explique, en lui montrant le bout de cigare :

— Il fume pas. Il suce. Tu vois ?

Le conducteur regarde le cigare froid.

— C'est défendu aussi de sucer un cigare dans ton autobus ? demande Henry, la lèvre inférieure en avant, le poing sur la hanche.

— Non, fait le chauffeur en hochant la tête. Non, je ne crois pas.

Henry retourne à son siège et rend le cigare à l'homme assis à sa fenêtre.

— Tu peux le sucer si tu veux, Dudley, dit-il avec un sourire.

— Merci beaucoup, dit Dudley en lui rendant son sourire et en prenant le cigare. Tu es courageux, petit.

— Pas de quoi, répond Henry.

Il se réinstalle à sa place et lève sa main pour mieux voir sa bague à la lumière. Il demande :

— T'as des garçons, Dudley ?

Le cigare s'arrête à mi-chemin de la bouche de l'homme, qui répond à mi-voix :

— Non.

— C'est vrai ?

— Non, dit l'homme en faisant signe avec sa tête. Non, je n'ai pas de garçons.

— T'en voudrais bien, hein ? dit Henry en souriant.

L'homme le regarde un moment avec attention, puis se retourne vers sa fenêtre.

— Des garçons pour leur donner tes bagues, ajoute Henry. Hein, Dudley ? T'aimerais pas avoir des garçons ?

— Je... j'en avais un, dit enfin l'homme, toujours tourné vers la fenêtre.

— C'est vrai ? dit Henry.

— C'est vrai, dit l'homme. J'avais un garçon.

— Et tu l'as plus, Dudley ? demande Henry.

— Non, dit l'homme à voix basse, je ne l'ai plus.

— Et pourquoi tu l'as plus, Dudley ? demande Henry en se penchant pour essayer de voir le visage de l'homme.

— Je... ne l'ai plus, voilà.

Henry s'aperçoit que l'homme se mord les lèvres. Il insiste :

— Et où il est, alors ?

— Il est... disparu à la guerre, dit Dudley dans un murmure.

— Tu veux dire... qu'il est mort ? demande Henry en s'appuyant à son dossier. Il a été tué ?

— Oui, dit l'homme.

Brutalement, Henry voit le sang qui jaillit de la bouche d'un petit garçon, un enfant pas tellement différent de lui. Sa main retombe à côté de lui, comme l'aile froide d'un oiseau mort. Un garçon comme Henry...

Henry voudrait que l'homme se retourne vers lui pour effacer la vision, pour le rassurer. Mais il reste tourné vers la fenêtre et Henry voit une larme couler sur la joue de l'homme et tomber sur sa manche. Et l'homme l'essuie du bout du doigt en reniflant.

Henry cligne des yeux pour effacer le visage blafard du petit garçon et l'oiseau mort. Il dit :

— C'est moche, Dudley.

Il tend la main et la pose sur le bras de l'homme :

— Il doit y en avoir beaucoup, des gens qui sont tués...

Il y a Emile Lucas, et les Japs dans le film. Et maintenant le garçon de Dudley... L'homme renifle encore.

— Mais tu devais être content d'avoir un garçon, quand t'en avais un ? dit Henry.

Pas de réponse pendant une bonne minute. Puis l'homme dit, à voix basse :

— Oui. C'est vrai. J'étais content.

— Même si t'as eu un garçon seulement un petit bout de temps, t'as dû être content, dit Henry.

L'homme se retourne vers Henry, qui s'aperçoit qu'il a les yeux pleins de larmes.

— Oui, dit-il. Même pendant un petit bout de temps, j'ai dû être heureux.

Il sourit et fait un grand signe de tête :

— Heureux, oui. J'ai été heureux.

Henry lui fait un grand sourire :

— Je vais être ton garçon un petit bout de temps, Dudley, dit-il en se lovant contre le bras de l'homme. Jusqu'à ma maison. Parce qu'après, faut que je sois le garçon de ma maman.

Lorsque le car s'arrête à Gregory, Teddy vient chercher Henry. Le petit garçon dort à poings fermés. L'homme qui regardait par la fenêtre se retourne et dit à Teddy, à mi-voix :

— Il dort.

Teddy sourit en prenant le petit dans ses bras :

— Il a eu une journée chargée, dit-il.

La bague de papier rouge et or tombe sans qu'on la remarque.

— Il est adorable, dit l'homme.

— On peut le dire, dit Teddy.

Harry, debout à côté de Teddy, est appuyé contre sa jambe, à moitié endormi.

— Quand il se réveillera, dit l'homme, dites-lui que l'homme au cigare le remercie.

Teddy le regarde, étonné.

— Dites-lui ça, simplement. Merci. Dites-lui seulement merci, dit l'homme souriant.

Teddy acquiesce, lève Henry un peu plus haut et descend du car avec Harry.

13

Nita et Teddy déshabillent les deux enfants endormis.

— Ils n'ont jamais été aussi bien habillés, dit Nita en pliant les costumes marins blancs, vous n'auriez pas dû...

— Ça m'a fait plaisir, dit Teddy, riant devant Henry qui vient de saluer sans se réveiller.

Le jeune marin est heureux de voir Nita heureuse.

— Je peux vous offrir un café ? demande-t-elle en éteignant la lumière. Vous avez eu une dure journée, vous aussi.

— C'est vrai. Ces deux-là vous usent un homme. Mais c'était une belle journée, dit-il en refermant la porte.

En montant sur le perron, quelques instants plus tôt, avec Henry posé sur son épaule et la main de Harry fatigué dans la sienne, il a retrouvé la même sensation. Lorsque Nita a détaché la chaîne et ouvert tout grand la porte, il a pris conscience de la signification du sourire de la jeune femme : il rentrait « à la maison ».

A peine passé le seuil, tous ses soucis disparaissent. Il est à l'abri. Protégé. Charlotte ? Il arrive à peine à s'en souvenir. La guerre ? Elle existe peut-être encore quelque part, très loin. Mais elle ne peut rien contre lui, ici...

Il regarde le dos cambré et les bras levés de Nita, pour décrocher les tasses et prendre le sucre sur la plus haute étagère.

— Il y a longtemps que je ne m'étais pas autant amusé, dit-il.

— Ils vont en parler pendant des semaines, dit-elle en versant le café.

Le standard appelle. Elle sourit à Teddy avec un haussement d'épaules en prenant son casque.

— Allô... quel numéro demandez-vous ? dit-elle en s'asseyant. Ne quittez pas...

Elle enfonce une fiche.

— Je ne comprends pas comment vous arrivez à tenir le coup, dit Teddy en lui tendant sa tasse. Tous ces appels, jour et nuit...

Elle soupire :

— Je n'ai pas le choix.

Teddy s'assoit sur le divan :

— Vous pourriez trouver un autre job.

— Sûrement, dit Nita en se tournant vers lui. Mais je suis réquisitionnée ici.

— Ce n'est sûrement pas légal, dit Teddy, étonné. Vous dites que vous n'avez pas le droit de démissionner ?

— Pas pendant la guerre, à moins d'être rayée de la liste des requis de l'Agence pour l'Emploi. C'est la loi.

Elle boit une gorgée de café.

— Je n'aurais jamais cru ça, dit-il, pensif, en la regardant d'un autre œil maintenant qu'il connaît sa situation.

— C'est la loi du temps de guerre, dit-elle. Tout est possible, en temps de guerre.

Il découvre, stupéfait, à quel point il était naïf, de croire que la guerre ne pouvait rien contre lui ici, qu'elle ne pourrait pas passer par la porte ou sauter par la fenêtre. La guerre est partout...

La lumière du standard s'allume et Nita retire la fiche pour couper la communication. Teddy se frotte les yeux. Pauvre Nita ! Une femme si bien ! Et pauvres gosses... Si seulement il ne fallait pas qu'il retourne si vite à son bord...

— Vous devez être fatigué, dit-elle doucement.

— Un peu. Henry pèse plus lourd qu'il n'en a l'air.

— Encore un peu de café ?

— Volontiers, dit-il en se levant. Et vous ?

— Une demi-tasse, dit-elle en lui tendant la sienne.

En la prenant, Teddy sent avec acuité les doigts de Nita, sous la tasse de porcelaine et passés dans l'anse. Sa main à lui se referme sur sa main à elle, avec une audace timide, et ils se retrouvent en train de tenir la tasse ensemble. Il sent sa main à lui qui tremble. Nita...

Elle le regarde, étonnée, puis regarde leurs

deux mains. Lorsqu'il la serre un tout petit peu, elle le regarde encore, les yeux grands ouverts, inquiète. Ses lèvres s'écartent pour un long soupir entrecoupé.

Il continue de la regarder dans les yeux et se penche pour embrasser ce souffle. Une femme admirable.

Nita se lève lentement et Teddy l'attire contre lui, sans lâcher sa main et la tasse de café entre eux. Elle murmure, les yeux fermés, les lèvres tremblantes :

— Teddy...

Il l'embrasse encore, puis il fait un pas en arrière en l'entraînant avec lui. Elle le suit et il l'attire avec lui sur le divan.

Elle le regarde dans les yeux sans ciller, avec un regard éperdu, avant de l'embrasser, un baiser brûlant comme il n'en avait jamais connu.

Teddy la serre plus fort :

— Ah, Nita...

L'homme qui guette, dans le terrain vague de l'autre côté de la route, ne voit plus les deux silhouettes qui sont maintenant sur le divan, mais il entend le bruit des appels du standard. Et il comprend pourquoi le bourdonnement se prolonge indéfiniment dans le silence de la nuit. Du terrain vague, l'homme, M. Bailey, écoute encore le bourdonnement pendant une minute puis, les mains dans les poches et la tête baissée, il s'en va tristement. La vache lève la tête pour le regarder, les pieds dans les mauvaises herbes et les ronces accrochant ses vêtements.

Sur le divan, à côté du standard qui bourdonne, Teddy sent Nita se crisper. Il l'embrasse
encore une fois, mais elle se redresse :

— Il faut que je réponde, dit-elle avec un sourire d'excuse.

— Quel numéro demandez-vous ? dit-elle,
casque en tête et assise sur son siège.

Teddy s'assoit à son tour. C'est le silence,
maintenant que l'insupportable bourdonnement
a cessé.

— Ne quittez pas, dit Nita en sortant un
annuaire. Je recherche le numéro.

Teddy l'entend qui tourne les pages. Il écoute
les insectes dehors.

— Votre numéro est le trente-quatre, dit-elle.
Je vous le passe.

Elle enfonce sa fiche, mais elle ne se retourne
pas. Dans une minute, il faudra qu'elle coupe le
contact du monstre.

Il l'entend soupirer et, quand il regarde son
dos, il est secoué de sanglots. Quelle putain de
guerre !

— Excusez-moi, dit-elle à mi-voix, au bout
d'une minute.

Elle enlève la fiche et se retourne. Il regarde
les yeux brouillés de Nita. Le moment est passé.
Ephémère... fragile... il est passé.

Il détourne le regard. Il est seul.

— Non, Nita, vous, excusez-moi, dit-il, à voix
basse, dans la nuit.

14

— AU REVOIR, M. BUFORD.
Harry, dans son costume marin blanc
tout neuf, se retourne pour faire le salut militaire à l'épicier. Puis il redresse le timon du
chariot chargé et le tire sur le trottoir.

— Merci, M. Buford, dit Henry la bouche
pleine de bonbons.

Il salue aussi. Au-dehors, il arrange les sacs,
en regardant, avec son frère, vers le coin de la
rue où ils doivent retrouver Teddy quand il
reviendra de la poste.

Pas d'autre uniforme blanc en vue pour l'instant. Mais il y a, garé au bord du trottoir, le
camion à bestiaux des frères Triplett.

Harry, qui tire prudemment le chariot sur le
trottoir inégal, est tout à fait décidé à ne pas
regarder par la porte du bar. Il s'est dit une
bonne fois pour toutes que son père n'y sera pas.
Il n'y est jamais, depuis que Harry regarde. Mais

il sait bien, Harry, que c'est surtout parce qu'il a peur de voir les deux joueurs de billard, qu'ils y seront, eux, il en est à peu près sûr.

Et quand il lève les yeux de la rue défoncée, il voit, juste au milieu du trottoir, devant la porte de l'horrible bar, les bottes râpées, éculées, de Calvin, qui lui barrent la route.

— Eh ben, ça alors, lance Calvin d'une voix d'ivrogne, une bouteille de bière dans une main et une queue de billard dans l'autre. Viens voir un peu ! Ces petits cons se sont engagés dans la Marine !

Arnold apparaît à l'entrée du bar, et éclate de rire :

— Ça m'en a tout l'air ! T'as vu leurs petits costumes marins ?

Harry fait un pas en arrière, cherchant des yeux Teddy au coin de la rue. Puis il dit, d'une voix mal assurée :

— Vous feriez mieux de nous fiche la paix...

— Voyons, dit Arnold, on ne vous veut pas de mal.

— Entrez donc, dit Arnold, toujours avec le même rire. Venez prendre une bière avant de lever l'ancre.

— Harry vous l'a déjà dit, on est trop petits, on ne boit pas de bière, dit Henry, les poings sur les hanches.

— Alors un jus d'orange bien glacé, propose Arnold.

Harry sent bien que Henry est tenté. Il dit, inquiet :

— Viens, Henry. Faut qu'on s'en aille.

— Allez, la marine, dit Calvin en coinçant les roues du chariot avec sa queue de billard. Parquez votre chariot et venez, on vous paie une grande bouteille de jus d'orange.

— C'est pas souvent qu'on offre à boire, précise Arnold.

— Ça alors, tu peux le dire ! s'esclaffe Calvin.

Harry sent l'inquiétude qui commence à lui gratter l'estomac avec ses petites pattes de rat. Il voudrait être à la maison, au lit, en train de regarder le cheval au plafond, ou bien de jouer avec les œufs de couleur tout froids, bien tranquilles dans leur corbeille de porcelaine blanche.

— J'aimerais bien un jus d'orange, dit Henry.

— Ça vient, dit Calvin avec un clin d'œil à Arnold.

— Faut pas, Henry, dit Harry d'une voix angoissée.

— Allez, entrez tous les deux, on va arranger ça, dit Calvin avec une grande tape dans le dos de Henry.

— Entrez, mais entrez donc ! dit Arnold en s'écartant pour les laisser passer.

— Tu viens, Harry ? dit Henry avec un sourire à son frère.

Et il entre, suivi de Calvin et d'Arnold.

Harry sait bien qu'il ne peut pas laisser Henry y aller tout seul. Pas là-dedans. Pas avec ceux-là. Il donne un dernier coup d'œil au bout de la rue pour chercher Teddy, puis, à regret, il gare le

chariot près de la porte. Enfin, la peur lui ron-
geant toujours l'estomac, il entre dans le bar.

— Bon, alors on se paie deux jus d'orange
pour les deux petits marins, dit Arnold en tapant
sur le comptoir. Ils vont prendre la mer bientôt.

Le sourcil froncé, Crecencio ouvre deux bou-
teilles d'orange pressée et les pose sur le comptoir. Puis il se croise les bras sur la poitrine et
s'appuie sur le réfrigérateur en regardant Arnold
et Calvin. Et il se demande pourquoi ils en ont
après les deux gosses.

Arnold attrape Henry sous les bras et l'assoit
sur le comptoir à côté de sa bouteille, et Calvin
hisse Harry à côté de lui.

— Et alors, et ces orangeades ? dit Calvin en
souriant.

— C'est bon, dit Henry en s'essuyant la bouche avec son coude. — Et il regarde aussitôt avec
inquiétude la trace orange sur sa manche
blanche.

Nerveux, Harry boit une gorgée de sa bouteille.

— Faut pas boire trop vite, dit Arnold. Vous
allez être ronds tout de suite. Ta mère serait pas
contente si vous rentriez tous les deux ronds
comme des billes !

Calvin éclate de rire en voyant Harry boire
encore une gorgée, les yeux allant et venant d'un
des frères Triplett à l'autre.

— On a une idée. Ça serait d'aller faire une
petite visite à votre maman, dit Calvin avec un

clin d'œil à Henry. Qu'est-ce qu'elle dirait, tu crois ?

Crecencio se racle la gorge bruyamment.

— Elle te connaît même pas, dit Henry en abaissant sa bouteille.

— Ouais, mais on a pensé qu'elle pourrait avoir le béguin pour nous, dit Arnold avec un clin d'œil à Calvin.

— Non, sûrement pas, dit Harry avec force.

— Ben quoi ? dit Calvin en riant et en donnant un coup de coude à Harry. Des beaux gars comme nous ?

— Vous êtes même pas beaux, dit Henry. Vous vous lavez même pas les dents !

Et il boit une gorgée.

— C'est pas nos dents qu'on irait montrer à ta mère, dit Calvin.

— Ça alors, pour sûr ! dit Arnold en tapant sur le bar et en riant.

Crecencio se lève :

— C'est pas fini, de vous foutre des mômes, non ?

Pas de réponse.

Harry n'aime pas ça du tout. Il regarde le patron et il essaie de s'écarter du bar, mais Arnold lui barre le chemin. Les rats se remettent à jouer avec le nœud glacé de la peur dans son estomac.

— Je te le dirai, quand t'auras le droit de t'en aller, dit Calvin. On a quelques questions à te poser sur ta jolie maman.

Pourquoi posent-ils tant de questions sur

maman ? Maman ne gêne personne. Elle reste à la maison et elle répond au téléphone. Si seulement... Harry lève la tête pour regarder Calvin et s'écrie, les larmes aux yeux :

— Fais gaffe ! Notre papa va arriver dans une minute !

Et il regarde Henry, qui ouvre de grands yeux tout ronds d'étonnement.

— T'as même pas de père ! fait Arnold, dédaigneux.

— Si ! On en a un ! crie Harry, éperdu.

— Même qu'il est dans les Tigres volants ! hurle Henry en cognant sa bouteille vide sur le comptoir.

Crecencio la ramasse et dit d'une voix menaçante :

— Allez, foutez-leur la paix et laissez-les partir, ces mômes !

Il essaie d'imaginer son fils à lui, Berto, dans son bar, en train de parler avec deux bons à rien d'ivrognes comme ceux-là, qui lui poseraient des questions sur sa mère. Teresa. Berto.

Il s'approche du comptoir. Calvin se tourne brusquement vers lui, menaçant :

— Tu veux que je te pète la gueule ?

Sans avertissement, Henry donne à Calvin un méchant coup de pied entre les jambes. Calvin se plie en deux en gémissant.

Crecencio sourit, mais Harry sent la peur se dérouler en lui comme une sorte de chignon vivant qui lui remplirait tout le corps. Non !

— Espèce de sale petit con ! dit Calvin, le

souffle coupé, fixant sur Henry un regard plein
de haine. T'aurais pas dû faire ça !

Arnold ricane.

— Tu trouves ça drôle ? demande Calvin.

Le rire d'Arnold se fige d'un seul coup. Calvin
défait sa boucle de ceinture et la retire de son
pantalon. Crecencio s'approche de lui.

— Je vais te tanner le cuir, petit mec ! gronde
Calvin.

— Essaie un peu, pour voir ! crie soudain une
voix derrière eux.

Calvin et Arnold se retournent d'un coup.

— Teddy ! s'écrie Harry en découvrant le
marin tout en blanc à l'entrée.

— Nom de Dieu, voilà tout le reste de la
Marine, maintenant ! dit Arnold en ricanant, face
à la mince silhouette de Teddy.

Calvin rit, lui aussi.

— Venez, les petits, dit Teddy. C'est l'heure
de rentrer.

Harry s'écarte du comptoir, mais Calvin le
pousse par-derrière pour l'empêcher de bouger :

— Ils ne s'en iront pas, dit-il, avant que je
leur aie un peu marqué les fesses.

— Allez, venez, les petits, répète Teddy en
regardant Calvin avec calme. Descendez de ce
comptoir.

Arnold se plante devant Henry :

— On dirait qu'il va y avoir du vilain, lui dit
Calvin.

— On dirait, oui, répond Arnold avec un
sourire.

— Assez rigolé, dit Teddy.

— On commence, dit Arnold, sans cesser de ricaner, on fait que commencer.

— Non, c'est fini, dit Teddy en faisant un pas vers lui.

— Amiral, dit Calvin froidement, il faut que t'en aies une paire drôlement bien accrochée.

Il pose sa bouteille de bière et relève ses manches.

Il va faire du mal à Teddy ! pense Harry. Et il lance un grand coup de pied dans l'entrejambe déjà atteint de Calvin. Et Calvin se plie en deux comme tout à l'heure, le souffle coupé.

Teddy plonge sur Arnold :

— Ho !

Arnold l'a cueilli au creux de l'estomac avec sa queue de billard, lui coupant le souffle à son tour. Teddy chancèle et s'effondre. Au même moment, Henry saute, comme un kamikazé, du comptoir sur le dos d'Arnold et lui mord l'oreille en criant.

Debout sur le comptoir, Harry regarde Arnold tourner sur lui-même en hurlant, avec Henry sur le dos. Calvin se redresse et marche sur Teddy d'un pas mal assuré.

Henry serre ses jambes autour de la taille de Calvin, les mains sur les yeux de l'autre stupéfait.

Harry crie :

— Teddy ! Teddy !

Teddy donne quatre coups de poing dans l'estomac de Calvin, qui s'écroule. Harry saute dans les bras de Teddy comme un acrobate.

Tout en poussant Harry vers la porte, Teddy attrape Henry, toujours accroché férocement au dos d'Arnold. Mais Arnold, aussitôt son oreille libérée des dents de Henry, se rue sur Teddy, lui lance un direct en pleine figure, le renvoyant encore une fois au plancher.

En criant « Teddy ! » Harry attrape la jambe d'Arnold et paralyse la botte qui allait frapper le marin.

Henry se jette à son tour sur la jambe droite d'Arnold, en essayant de la neutraliser de tout son poids. Et il crie, lui aussi, de toutes ses forces :

— Teddy !

Arnold hurle :

— Lâche-moi ça !

Et il donne un grand coup de son pied gauche dans une chaise, pour essayer de décramponner son passager. Puis il donne un coup de son pied droit dans une table. Mais les enfants s'accrochent comme des sangsues. Arnold frappe des pieds tour à tour, cognant les deux garçons par terre à chaque fois, mais sans arriver à leur faire lâcher prise.

Pour finir, il arrête de danser la bourrée et se penche sur les petits doigts serrés sur son pantalon comme des griffes. Mais Teddy l'avait prévu et, d'un uppercut, il le renverse contre le comptoir comme un sac de foin.

Calvin se relève difficilement et, très lentement, il ouvre un grand couteau étincelant qu'il a tiré de sa poche. Et le regard qu'il pose sur Teddy étincelle aussi.

Le marin sent le même rat que Harry, le rat de la peur, qui lui grimpe à l'intérieur pour essayer de s'échapper.

— Non, Teddy, non ! s'écrie Harry.

— Non ! hurle Crecencio. Non, pas ça !

Et il sort un fusil de sous le comptoir.

Calvin s'avance vers Teddy, le couteau bas, l'œil mauvais :

— T'as vu ce que j'ai là ?

Mais personne ne regarde. Teddy recule, la main levée, et Calvin continue d'avancer.

Ba... oum !

Le fusil ! Un nuage de poussière et de feutre vert désintègre le dessus de la table de billard juste à gauche de Calvin. Dans le silence soudain, personne ne bouge plus.

— Le prochain coup, c'est ta cervelle qu'on retrouve au plafond ! crie Crecencio en tournant le fusil vers Calvin.

Calvin fait volte-face, avec un moulinet de son couteau contre le patron du bar. Mais le Mexicain, rapide comme l'éclair, d'un moulinet de la crosse de son fusil, le frappe à la tempe. Il y a un bruit mou et Calvin s'effondre. Son couteau cogne lourdement par terre à côté de lui. Il ne bouge plus. Crecencio pousse un soupir, dans le silence total :

— Ah, nom de Dieu ! Regardez un peu ce que j'ai fait à mon billard !

Teddy s'agenouille près de Harry et de Henry, cachés sous une table. Il demande :

— Ça va, vous deux ?

— Ça va, Teddy ! crie Harry, les yeux pleins de larmes, en passant ses bras autour du cou du marin.

— J'ai un peu peur, dit Henry.

Teddy les serre tous les deux contre lui, en regardant d'un air inquiet le feutre déchiré du billard.

— Vous vous taillez vite fait, dit Crecencio, avant que ces deux dingues se réveillent.

— Merci pour tout, dit Teddy.

Il prend les mains des enfants et se dirige vers la porte.

— De rien, il n'y a pas de quoi, dit le patron en passant tristement sa main sur le feutre vert déchiré de son billard.

Calvin s'appuie douloureusement sur ses coudes pour les regarder tous les trois s'en aller. Il s'assoit, essuie le sang sur sa joue et dit :

— Ho !

Teddy et les garçons se retournent.

— Si j'étais toi, le marin, dit-il, je ne reviendrais plus traîner par ici, dit-il d'une voix râpeuse et vraiment mauvaise.

— Ta gueule, là-dessous, dit Crecencio en se penchant par-dessus le bar sans lâcher son fusil, ou bien je t'en file encore un bon coup sur la tête.

La dernière chose qu'aperçoit Harry en sortant derrière Teddy et Henry, c'est la lueur dans l'œil de Calvin, aussi froide et perçante que le couteau qui est toujours dans la poussière à côté de lui.

15

NITA EST EN TRAIN DE SOIGNER AU MERCURO-
chrome les écorchures sur le visage de
Teddy, qui sursaute en s'efforçant de sourire.
Nita, elle, ne sourit pas. Elle est bouleversée par
leur récit de la bagarre.

Henry s'amuse bien :

— Tu vas avoir l'air d'avoir la rougeole,
Teddy !

— Essayez de ne pas bouger, dit Nita à Teddy,
qui se remet à sourire.

Elle rebouche le flacon et s'assoit à la table.
Elle regarde Henry et Harry d'un air sévère :

— Mais enfin, dit-elle, qu'est-ce qui vous a pris
d'entrer dans un endroit pareil ?

Harry se sent coupable et se tourne vers
Henry.

— Je vous jure, dit-elle, que je n'arrive pas à
comprendre.

Henry et Harry, les yeux baissés, attendent la
fin du sermon.

— Enfin, dit-elle, j'espère que ça vous servira de leçon.

— Pour sûr, maman, dit Harry, soulagé.

— Sûr, approuve Henry d'un signe de tête vigoureux.

— Juré ? demande Nita.

— Juré, dit Harry.

— Et toi, Henry ?

— Juré, dit-il à son tour en hochant encore la tête.

Elle les regarde un long moment, puis :

— Bon, dit-elle enfin. Allez jouer dehors, maintenant.

— Tu viens, Teddy ? demande Henry en descendant de sa chaise.

— J'arrive tout de suite, dit Teddy en souriant. Je vous rejoins.

Les deux enfants se ruent vers la porte de devant, de peur que Nita ne recommence son sermon. Mais elle pousse un long soupir :

— J'ai horriblement peur, Teddy, dit-elle dès que la moustiquaire a claqué. Ils sont encore tout petits.

— C'étaient simplement deux ivrognes, dit Teddy en essayant de la rassurer.

— Si seulement j'avais pu aller les sortir de là, dit-elle d'une voix tremblante. Mais de toute façon...

Les larmes lui montent aux yeux. Il murmure :

— Nita...

Mais elle fait un signe de dénégation et reprend le flacon de mercurochrome.

Harry est en train de pousser un petit camion sans roues dans la terre près du perron lorsque M. Bailey arrive en boitant. Il pousse sa tondeuse.

— Salut, M. Bailey, dit l'enfant. Où vous allez ?

M. Bailey montre la route, mais en regardant avec attention la porte de la maison.

— Vous allez tondre l'herbe ? demande Harry.

M. Bailey n'a même pas fini d'acquiescer d'un geste de la tête. Henry saute de son arbre et tombe juste devant la tondeuse. Avec un sourire gêné, il remonte son pantalon.

— Vous avez le temps ? J'ai un nouveau jeu, dit-il en levant sa tête blonde vers M. Bailey.

M. Bailey fait signe que oui et lâche le manche de sa tondeuse, sans cesser de regarder la moustiquaire à la porte de la maison.

— C'est quoi, ton nouveau jeu ? demande Harry en lâchant son camion dans la terre.

— T'as qu'à venir, dit Henry en courant autour de la maison, Harry sur ses talons et M. Bailey suivant cahin-caha.

— Je ferais peut-être mieux de les envoyer chez ma sœur pour qu'on veille sur eux, dit Nita, en larmes, à Teddy. Ça serait peut-être le mieux, oui.

— Vous ne pourriez pas vous passer des petits, dit Teddy en lui tapotant la main. Vous le savez bien.

Il est interrompu. On frappe à la porte. Nita le regarde d'un air étonné, puis s'essuie les yeux et se lève :

— Je vais voir ce que c'est.

Le petit homme étroit d'épaules debout sur le perron porte un complet de coton, des lunettes à monture d'acier et un chapeau à bords roulés :

— Madame Longley ? dit-il en se découvrant. Madame Nita Longley ?

— C'est moi, dit-elle.

Il dit, montrant de grandes dents jaunes :

— Je m'appelle Gilstrap. Joe Bill Gilstrap.

Il attend un instant une réponse, mais Nita se borne à le regarder d'un œil vide.

— Je suis huissier au tribunal du comté.

— Oui, Monsieur... dit Nita, intriguée.

— Oui, Madame. Et le Juge...

Il regarda si ses paroles produisent leur effet. Puis :

— Voilà. Il m'a demandé de venir vous voir...

— Le Juge ? Le Juge ! Mon Dieu, c'est ma lettre !

— C'est ça, Madame. Pour voir un peu comment vous vivez, ici.

Il passe son chapeau d'une main dans l'autre.

— C'est bien ça, Monsieur ! s'écrie Nita. Mais entrez, entrez donc !

Elle lisse sa robe et pousse la moustiquaire.

— Merci, Madame. Merci beaucoup.

Au moment où il entre, elle jette un coup d'œil rapide alentour, cherchant du regard les garçons dans la cour. Mais elle n'aperçoit que la tondeuse de M. Bailey sous l'arbre.

Le camion à bestiaux d'un rouge passé, avec « Triplett Frères, déménagements », brinquebale sur le chemin.

L'huissier est debout dans la pièce de devant, examinant des yeux le divan marron.

— Est-ce que le Juge va nous aider ? murmure Nita, tout en essayant de remettre de l'ordre dans ses cheveux.

— On ne sait jamais, avec le Juge, dit l'huissier. Il m'a demandé de lui faire un rapport.

Il tire de sa poche un petit carnet et un crayon. Nita fait un vague signe de tête et regrette de n'avoir pas mis de rouge à lèvres. Un rapport sur quoi ? Elle se le demande.

— Voyons voir, dit-il. Vous dites que vous êtes réquisitionnée... pour ce travail, ici ?

— C'est ça, Monsieur, dit Nita avec un sourire aussi aimable qu'elle le peut. C'est tout le problème. Je suis requise. Je ne peux même pas chercher une meilleure place. Mon patron... M. Rigby, dit que c'est illégal.

— En effet, Madame, dit-il d'un ton officiel. Vous savez, nous sommes en guerre.

— Je sais, Monsieur, je sais.

Nita croise ses mains bien sagement. Qu'est-ce qu'il va écrire dans son carnet ? Gêné, l'huissier s'éclaircit la voix. Le Juge lui a juste dit de bien regarder et de bien écouter. Alors il regarde autour de lui.

— Faut que tout le monde fasse des sacrifices,

si on veut la gagner, dit-il en mettant son chapeau sous son bras et en traversant la pièce
jusqu'au coin, au-delà du taxiphone, pour la
regarder dans l'autre sens.

— Ça ne va pas bien fort, dans certains coins,
il paraît. Si vous avez la radio, par ici...

Il se tourne pour regarder la pièce, mais son
nouveau point d'observation ne lui donne pas
d'idées nouvelles. Il fait semblant d'inscrire
quelque chose dans son carnet, puis il se retourne vers la radio et l'étagère au-dessus.

— Je sais, Monsieur, je sais, dit Nita d'un ton
nerveux. Je sais, mais...

Il prend sur l'étagère la photographie dans
son cadre d'étain et dit :

— Même un homme important comme le
Juge, il fait des sacrifices.

— Oui, Monsieur, dit Nita, angoissée, se
demandant ce qu'il a bien pu écrire. Et pourquoi
regarde-t-il les photos ?

— C'est votre mari ? dit-il, en louchant sur
les trois visages grisâtres à travers ses lunettes
épaisses.

— Oui, dit-elle en approuvant de la tête. Je
veux dire, ajoute-t-elle, plus maintenant.

Elle baisse les yeux. Il dit, sèchement :

— Divorcée.

Il repose la photo sur l'étagère. Cela ira dans
sa note, bien que le Juge soit évidemment au
courant. Le coin du cadre d'étain cogne avec un
bruit métallique l'anse de la corbeille de porce-

laine chinoise, qui se retourne et répand par terre tous les petits œufs peints.

— Oh, non ! s'écrie Nita.

La corbeille vide roule jusqu'au bord de l'étagère, tombe à son tour et se casse en petits morceaux sur le linoléum. Un éclat de porcelaine portant l'inscription « Foire du Texas » glisse sous le divan. Un morceau de l'anse fragile s'arrête aux pieds de Nita.

— Bon sang ! s'écrie l'huissier en essayant de redresser la photo.

Il marche sur un œuf bleu pâle et l'écrase. Nita reste les bras ballants. La petite corbeille. Brisée. Elle arrive à marmonner :

— Ça ne fait rien...

— Pardon...

Il est furieux de sa maladresse, furieux d'avoir oublié du coup ce qu'il était en train de dire. Ah, oui ! Il reprend, d'une voix de stentor, en se dressant sur la pointe des pieds face à Nita, comme un coq en colère sur ses ergots :

— Des sacrifices !

Nita regarde les débris de porcelaine à ses pieds.

— Moi aussi, j'en fais, des sacrifices ! J'en fais tout le temps ! En ce moment, si on veut quelque chose, faut faire des sacrifices !

Nita opine du bonnet.

Il navigue avec précaution parmi les morceaux des œufs et de la corbeille. Elle a l'air affolé. Excellent, pense-t-il.

— Alors, vous habitez ici ? dit-il en inspectant la grande pièce.

Il a retrouvé toute son assurance.

— Oui, Monsieur, dit Nita.

Il écrit quelque chose dans son petit carnet :

— Ce n'est pas si mal, décrète-t-il. Pour une cabane de chasseurs. J'ai vu pire. Et les gars qui se battent dans les Philippines en voudraient bien, j'en suis sûr. Vous permettez que je fasse un peu le tour ?

— Bien sûr, Monsieur, dit Nita, tendue, en montrant la porte de la grande pièce.

— Ah, bonjour ! dit l'huissier.

Il a découvert, tout surpris, Teddy toujours assis devant la table. Le Juge a dit qu'elle est divorcée, avec deux petits garçons. Elle a dit qu'elle n'a pas de mari. Personne n'a parlé d'un homme dans la maison.

— Il y a des moustiques ? demande-t-il, pour cacher sa confusion.

Teddy rougit sous le mercurochrome :

— Non, Monsieur, dit-il en se levant.

— Et la guerre, demande l'huissier, ça va ?

L'huissier se balance d'un pied sur l'autre. Il fait mine de consulter son carnet.

— Ça va, dit Teddy avec un sourire.

— Je voudrais bien être là-bas, avec nos petits soldats, dit l'huissier en hochant la tête et en faisant un grand sourire de ses grandes dents.

— Moi aussi, dit Teddy, je voudrais bien que vous y soyez.

— Seulement, je suis officier de justice, moi.

C'est une responsabilité. Il faut bien qu'il reste quelqu'un pour la Justice et le reste. Ça n'est pas pour le plaisir, mais il faut bien que tout se fasse.

Il fait encore un grand signe de tête pour donner de la force à ses propos.

— Je comprends, dit Teddy.

— Faites la peau des Japs pour moi, hein ? dit encore l'huissier avec un grand sourire, en lui donnant une grande tape sur son épaule endolorie.

Teddy sursaute :

— Oui, Monsieur.

— Dites voir, dit l'huissier, avec un sourire de plus en plus radieux. Si vous mettiez mon nom sur une de vos torpilles ? Gilstrap. G.I.L.S.T.R. A.P. Joe, Bill. Joe Bill Gilstrap.

Teddy le regarde froidement.

— Vous devriez le garder par écrit.

Il le note sur une page de son carnet, qu'il tend à Teddy. Et Teddy lit à voix haute :

— G.I.L.S.T.R.A.P.

— Bravo ! s'exclame l'huissier avec une nouvelle claque sur l'épaule de Teddy, qui sursaute de plus belle. Allez ! Faites-leur leur fête, à ces salopards !

— Oui, Monsieur, dit Teddy en se mettant hors de portée.

— Merci d'avance, dit l'huissier avec le même sourire, en se retournant vers Nita, qui est toujours dans l'embrasure de la porte, mal à l'aise.

— Pas de quoi, dit Teddy en se rasseyant.

— Il est sympa, dit l'huissier à Nita, en reprenant son carnet et son crayon. C'est votre frère ?

— Non, Monsieur.

— Un cousin, peut-être ?

— Euh... non, dit Nita, très gênée.

L'huissier lorgne tour à tour Teddy, puis Nita.
Une divorcée sans mari... alors qui est-ce, ce
type à moitié nu, tout seul dans la maison avec
elle ? Il tapote son carnet du bout de son crayon.
Très vite, trop vite, Nita demande :

— Vous pensez que le Juge va nous aider ?

Le regard de l'huissier passe de Teddy à Nita
sans répondre et finit par noter quelque chose
sur son carnet.

— Le Juge, je vais vous dire, dit-il enfin. Et
d'une, il croit à la guerre. Il croit qu'elle exige
des sacrifices.

— Oui, Monsieur, dit Nita en s'efforçant de
sourire. Vous voyez, ici, nous nous sacrifions...

— Oui, Madame, coupe l'huissier. Et de deux,
le Juge craint Dieu. Il croit en Dieu.

Son regard revient à Teddy.

— Oui, Monsieur, approuve véhémentement
Nita.

Elle cherche sa croix, la sort de son chemisier
pour qu'elle soit bien visible dans le col ouvert :

— Nous aussi, dit-elle, nous croyons en Dieu.

— Ce sont ces deux choses, la première et la
seconde, qui vous disent quel genre d'homme est
le Juge. Les deux choses sur lesquelles notre
pays s'est bâti : Dieu et la Guerre !

Sur ce, il tourne les talons et repart vers la

pièce de devant en brandissant l'index vers le ciel.

— Oui, Monsieur..., murmure Nita en trottant derrière lui.

— Le Juge, il dit : qu'ils aillent se faire foutre, les Japonais ! Et aussi les Allemands ! Ces fumiers !

L'huissier fonce vers la porte de devant :

— Je l'ai entendu le dire souvent. Excusez son langage brutal.

Il vient de se rappeler aussi que le Juge croit à la chasteté des oreilles féminines.

— Oui, Monsieur, marmonne Nita en sentant un bout de porcelaine sous son pied. Merci d'être venu.

A la moustiquaire, il s'arrête et se retourne pour s'incliner très légèrement, le chapeau sous le bras, un sourire aimable découvrant ses incisives jaunes :

— Pas de quoi. Je suis toujours heureux d'user de mon influence pour aider les gens quand je peux. Bon, il faut que j'aille faire mon rapport.

Il élève la voix pour être entendu de la grande pièce :

— N'oubliez pas de leur rentrer dans le chou au nom de Joe Bill Gilstrap !

— Non, Monsieur, crie Teddy, de la porte de la grande pièce. Je n'oublierai pas.

Comme l'huissier se retrouve sur le perron, Nita se sent brusquement soulagée. Les choses ne se sont pas si mal passées, à part la corbeille de porcelaine. Son rapport va sûrement être favorable. Elle lui fait un sourire.

Tout à coup, derrière le coin de la maison, elle entend deux voix familières :

— Un, deux... Un, deux... Un, deux... Heil Hitler !

Non, pense Nita. Non, pas ça !

Mais ils arrivent, ils tournent le coin du perron, tout contents, en marchant au pas de l'oie et en faisant le salut hitlérien. Tous les trois, Harry, Henry et M. Bailey.

— Ça n'est pas vos enfants, tout de même ? demande l'huissier, incrédule.

Nita crie, de toutes ses forces :

— Voulez-vous finir, tout de suite, oui ?

Mais ils ne l'entendent pas et ils continuent de crier en riant :

— Un, deux... Un, deux... Heil Hitler !

— On dirait des petits nazis ! s'exclame l'huissier d'une voix aiguë, horrifié, incrédule.

— Voulez-vous finir, à la fin ! crie Nita, angoissée.

Soudain, les enfants l'entendent, s'arrêtent sur place et regardent le perron. Qu'est-ce que cet homme peut bien faire à maman, pour qu'elle lui dise de finir ?

Henry découvre les lunettes d'acier et les grandes dents de l'huissier et il s'écrie :

— Il y a un Jap, avec maman !

— C'est un Jap ! crie à son tour Harry.

Les deux petits courent vers le perron, malgré M. Bailey qui s'efforce en vain de les retenir.

— Je vous les présente, dit Nita en s'efforçant de sourire. Ils sont bien gentils. Je me demande où ils ont bien pu apprendre le pas de l'oie !

Mais avant même qu'elle ait terminé sa phrase, Henry a grimpé le perron et foncé dans les genoux de l'huissier, Harry visant le ventre. Le petit homme est repoussé par le choc jusqu'au bord du perron.

— Mais qu'est-ce que ?...

L'huissier s'écroule dans la poussière.

Nita se cache les yeux, au bord de l'évanouissement.

— Salopard de Jap !

Henry crie de toutes ses forces en jetant, avec son frère, de la terre à pleines poignées sur l'huissier :

— Tu vas laisser maman, oui ?

Et Harry lui donne un grand coup sur la tête.

Nita est soudain soulevée de colère. Ils ont tout gâché, anéanti leur dernière chance. Alors elle se met à crier :

— C'est fini ! Fini, compris ?

Elle sent Teddy derrière elle, dans la porte.

— Enfin, quoi ? crie l'huissier, cherchant à genoux ses lunettes dans la poussière. Je suis officier ministériel, tout de même !

Un tir de barrage de mottes de terre s'abat sur son derrière.

— Fini, les enfants ! crie toujours Nita.

Teddy saute du perron et attrape Henry au moment où il s'apprête à lancer une autre motte de terre. L'huissier s'est remis debout et époussette son complet de coton avec son chapeau.

— Tout ça sera dans mon rapport, dit-il d'un ton glacial à Nita tout en contournant M. Bailey pour retourner à sa voiture.

Et il se dit encore, en s'installant au volant, que son rapport parlera aussi du marin à moitié nu. C'est exactement ce genre de choses qui exige qu'un officier ministériel vienne faire un tour sur les lieux. Le Juge connaît son affaire, sûr, mais il ne suffit pas de recevoir une lettre pour être certain qu'elle a été envoyée par des gens bien, respectant Dieu et persuadés que la guerre en cours est une juste cause.

Nita attrape Harry par le bras et le secoue très fort :

— Allez, ouste ! dit-elle, furieuse. Tout le monde à la maison, et que ça saute !

Harry a l'air affolé mais il suit Henry et Teddy à l'intérieur. Nita se tourne vers M. Bailey en pleurant :

— A quoi est-ce que vous pensez ? Leur apprendre le pas de l'oie, vous vous rendez compte ? Je ne veux plus vous revoir ici, compris ? Jamais !

M. Bailey baisse la tête.

— Allez ! Allez-vous-en ! Laissez mes petits ! Vous m'entendez ? Fichez-moi le camp !

Tristement, M. Bailey prend le manche de sa tondeuse et s'en va, cahin-caha, sur le chemin.

— Et voilà ! crie Nita à Harry et Henry en

ouvrant la moustiquaire. C'était notre dernière chance !

Les enfants et Teddy sont assis en silence à la table de la grande pièce.

— Nita..., dit doucement Teddy.

— Pardon, maman. On l'a pas fait exprès, dit Harry, affolé par les larmes de colère de sa mère.

— Vous avez tout gâché ! crie encore Nita.

— On te demande pardon, maman, dit Henry en lui prenant la main.

— Le pas de l'oie ! dit Nita en retirant brusquement son bras. Ce sale bonhomme, ce clochard, je ne veux plus jamais le revoir ! Vous entendez ?

Et elle répète, en regardant les deux petits visages l'un après l'autre :

— Jamais ! Jamais !

— Maman, dit Henry en reniflant, c'est moi qui ai appris à M. Bailey à marcher comme ça.

— M. Bailey a rien fait, maman, dit Harry en retenant ses larmes.

Il ne comprend pas ce qui s'est passé. Pourquoi maman est-elle si en colère ?

— Ils ont vu le pas de l'oie au cinéma, aux actualités, Nita, dit doucement Teddy.

— Ça m'est bien égal... dit-elle, toujours en colère, mais fondant en larmes. Mon Dieu...

Elle s'effondre, la tête dans les mains. Harry lui tapote les cheveux à tout hasard :

— Maman...

Qu'est-ce qui la fait pleurer ? Il regarde Teddy d'un air inquiet. Nita pleure toujours :

— Ma corbeille ! Il l'a cassée ! Ma corbeille avec les œufs...

La corbeille aux œufs ? Henry se mord les lèvres. La corbeille de maman est cassée ? Henry se presse contre sa mère et la prend comme il peut dans ses petits bras.

Le standard appelle alors, et c'est Henry qui se précipite pour répondre pendant que Nita s'essuie les yeux en essayant de retenir ses larmes.

— La corbeille aux œufs ? demande Harry, le cœur serré.

Henry, lui, pousse les fils et tourne les boutons au hasard :

— Allô ? dit-il. Ici, Henry... Allô ?

Le signal du standard ne s'arrête pas. Nita essuie ses larmes et reprend le casque à Henry avec un sourire :

— Je vais mieux, dit-elle.

Puis, dans l'appareil :

— Quel numéro demandez-vous ?... Ne quittez pas. Je recherche votre correspondant...

Presque comme dans un rêve, Harry regarde par la porte l'étagère où se trouvait la jolie corbeille de porcelaine. Elle a disparu ! Harry est affolé. Les morceaux sont toujours éparpillés par terre. Juste devant son pied, il y a un morceau tout blanc, arrondi, comme un mince croissant de lune. Il le ramasse. Ce n'est donc pas un rêve. On pourra peut-être le recoller. Il y a peut-être des œufs qui ne sont pas cassés. Il s'assoit

par terre et se met à rassembler des morceaux.
Oui, il pourra les recoller.

Voilà l'œuf vert. Il est ébréché, mais pas tout
à fait cassé. Il y a d'autres morceaux sous le
taxiphone.

Le rouge foncé de son propre sang le surprend
d'abord. Il s'étend sur un morceau tout rond et
tout froid de l'œuf jaune, et aussi sur un éclat
blanc de la corbeille. Une coupure. Une goutte
ronde tombe de son doigt sur le sol. Il n'a pas
mal, c'est curieux. Harry se colle le doigt blessé
dans la bouche et il se lève. Il pousse le bout de
son pied sur la goutte luisante sur le sol et il
vide les morceaux de porcelaine qu'il a dans sa
main sur l'étagère, à la place de la corbeille,
près de la photo.

La corbeille et les œufs de porcelaine de
maman sont cassés.

— Vous devriez aller jouer dehors, maintenant, les enfants, dit Teddy d'une voix calme, de
la porte.

Nita est toujours au standard. Teddy sourit,
tape sur l'épaule de Harry et frotte les cheveux
de Henry.

A la moustiquaire, Harry se retourne encore
vers l'étagère avant de suivre son petit frère sur
le perron. Cassé ! Il se fourre son doigt coupé
dans la bouche, savourant encore une fois le
goût secret du sang noir de son propre cœur.

Lorsque les enfants sont sortis, Teddy murmure :

— Nita...

Elle sanglote :

— Oh, Teddy... Je me sens piégée...

— Je sais.

Il la prend dans ses bras, lui serre le visage contre son épaule, en lui tapotant l'épaule comme fait un père à un enfant qui a de la peine.

— Pardon, dit-elle au bout d'une minute en s'essuyant les yeux. Je comptais trop sur le Juge, sans doute.

Elle essaie de sourire à Teddy, mais sans succès. Il continue de lui tapoter le dos et dit :

— Il doit y avoir autre chose à faire...

— Non, dit-elle en faisant non de la tête. Il n'y a plus aucune chance d'en sortir.

Le standard se réveille, avec son bruit et ses lumières. Elle dit :

— Allô, j'écoute...

— Vous pourriez vous marier, dit Teddy.

— Ne quittez pas... Je recherche votre correspondant...

Elle se retourne vers lui, étonnée :

— Ne dites donc pas de bêtises, dit-elle en enfonçant la fiche.

— Vous pourriez m'épouser, dit-il brusquement.

Elle le regarde de nouveau, stupéfaite.

— Ils ne pourraient plus vous garder ici, dit-il encore, intimidé mais résolu. On ne serait pas obligés de rester mariés. Vous verriez bien plus tard...

Nita ouvre la bouche pour parler, mais il continue de bafouiller :

— Je sais bien, je suis plus jeune. Je sais, ça peut vous ennuyer...

Nita sent les larmes lui remonter aux yeux mais il continue :

— Mon bateau lève l'ancre demain matin. Il faut que je m'en aille...

De nouveau, le standard bourdonne.

— Allô ? Je vous écoute, dit-elle, non sans peine.

Elle tend la main à Teddy :

— Non, dit-elle, la gorge nouée.

— On ne serait pas obligés de vivre ensemble, dit-il en lui pressant la main. On...

— Non, dit-elle, sûre d'elle comme jamais depuis des semaines.

— Je vous sortirais d'ici ! dit-il, résolu.

Le standard bourdonne encore. Soudain furieuse, Nita se tourne vers le tableau et en arrache toutes les fiches. Le bourdonnement continue. Elle demande :

— Ça vous donnerait quoi ?

— Ça n'est pas la question, dit-il doucement.

Elle se lève et lui fait face, des larmes plein les yeux.

— Pour moi, si, dit-elle avec rage, couvrant le bourdonnement du standard, c'est toute la question.

— J'ai envie de faire quelque chose, Nita, dit Teddy, découragé.

— Mais vous avez fait beaucoup, Teddy !

Elle passe un bras autour de lui et l'attire

contre elle, et ses larmes coulent dans les cheveux blonds si courts de Teddy.

— Vous avez déjà fait beaucoup, dit-elle. Il y
a si longtemps que personne ne s'intéresse à
moi... à nous...

Elle sent le cœur de Teddy qui bat. Elle sent
sa force, sa chaleur, sa tendresse, sa jeunesse
qui l'ont un peu sortie de son piège.

Ils sont là, debout au milieu de la pièce, et la
force de leur étreinte finit tout de même par
réduire le standard au silence.

16

— C'EST FAIT.

Harry tend la chaussure parfaitement cirée à Teddy :

— Tu vois, tu peux te regarder dedans.

Henry regarde le soulier de Harry, crache sur le bout de celui sur lequel il travaille et le frotte avec rage avec le chiffon sale, salissant tout uniformément. Au bout d'une minute d'efforts inutiles, il le tend à Teddy, qui lui fait un grand sourire :

— Avec ça, je ne vais pas passer inaperçu !

Il chausse ses deux souliers disparates et se lève pour mieux les admirer dans toute leur splendeur.

— Regarde, maman ! s'écrie Harry en voyant Nita entrer dans la pièce de devant.

Il ne l'a jamais vue aussi jolie : une robe à fleurs jaune et blanche, empesée de frais, mieux coiffée que jamais, avec les yeux plus grands et plus sombres, le sourire plus rose...

— T'es formidable, m'man ! dit Henry, éperdu d'admiration.

Nita rougit légèrement en se tournant vers Teddy, dont le sourire muet et chaleureux suffit à lui dire tout ce qu'elle a besoin de savoir. Il y a si longtemps qu'elle ne s'est pas habillée, maquillée, coiffée, ondulée ! Elle n'était plus du tout sûre d'elle, et voilà, elle a réussi.

Harry rayonne et Henry glousse de plaisir.

— Les gars, portez-moi mon sac de marin dans le chariot, dit Teddy. Je vous rejoins dans une minute.

Harry tire le sac par le haut et Henry le pousse de toutes ses forces par le fond. A eux deux, ils arrivent à le traîner jusqu'à la porte et à lui faire dégringoler les marches du perron.

Teddy se tourne vers Nita. Comme elle est jolie !

— Allons..., dit-il, tout triste.

— Oui..., dit-elle, avec un brave sourire.

— Voilà mon adresse, dit-il en sortant un bout de papier de sa poche. Si vous avez envie d'écrire un de ces jours...

Il ne s'attendait pas du tout à ce que ce soit si dur, les adieux. Et dire qu'il y a une semaine, il ne les connaissait même pas !

Nita prend le papier et regarde les lettres et les chiffres du code postal :

— Ils s'y retrouvent, explique-t-il. La lettre arrivera à mon bateau.

— Bien sûr, dit-elle. Vous pouvez nous écrire

aussi. Juste Gregory, Texas. Ça arrive. Ils nous trouvent sans problème.

Elle rit. Il la regarde dans les yeux et s'efforce de répondre d'un sourire. Des gosses et des vaches dans un terrain vague. Une femme à la porte... Les bateaux creux secoués par les énormes vagues noires... Partout, nulle part, jamais, toujours...

— Et puis un jour, il pleuvra..., dit-il, et vous entendrez frapper à la porte... et ce sera moi qui reviendrai...

Les yeux de Nita s'emplissent de larmes :

— Ça serait merveilleux, dit-elle doucement, en baissant les yeux.

Il la prend dans ses bras et murmure, dans les cheveux ondulés :

— Vous allez bien me manquer, tous les trois.

Il a l'impression que les mots glissent sur la vérité qu'il a sur le cœur, sans la toucher vraiment.

— Vous allez nous manquer aussi, Teddy, dit-elle en le serrant très fort. Nous avons été heureux... tellement heureux...

Il ferme les yeux et enfouit son visage dans les cheveux de Nita, en se balançant doucement, prenant tout son temps pour que l'instant se grave, bien profond dans sa mémoire. Parce qu'il faudra que le souvenir dure, dure...

Le standard les sépare encore. Avec un regard résigné, Nita lui serre la main et, passant dans la grande pièce, elle prend le casque :

— Allô, j'écoute...

Dire que ces mots sont devenus si habituels en quelques jours seulement ! Il pousse la moustiquaire. Harry et Henry attendent, assis sur le sac de marin sur le chariot, sous l'arbre de Chine.

— Tout est prêt ? demande Teddy en sortant de la maison.

Il prend le timon du chariot et jette un dernier regard à la cour : la bicyclette, l'arbre de Chine, la vache dans le terrain vague, de l'autre côté du chemin...

Harry fait un signe de tête, Henry roucoule. Teddy se retourne pour regarder la maison encore une fois.

— Au revoir, Nita...

— Bonne chance, Teddy, crie-t-elle depuis la grande pièce.

Avec un soupir, il tire le chariot et sa cargaison de sac marin, à travers la cour, jusqu'au chemin.

Ils sont à mi-distance de la route, quand Nita pousse la moustiquaire pour regarder les silhouettes qui rapetissent à chaque pas. Elle dit, à voix basse :

— Au revoir, Teddy.

Elle baisse les yeux sur sa jolie jupe, et les fleurs jaunes et blanches ont l'air de flotter à la surface d'une eau tourbillonnante, qui coulerait très vite dans les rapides de ses larmes.

A la route, Teddy tire le chariot sur le bas-côté et prend Harry et Henry pour les déposer par terre. Puis il se met à genoux pour les embrasser une dernière fois. Harry recule, tout crispé :

— Pourquoi il faut que tu partes ?

Il y a de la colère dans sa voix et il refuse le baiser. Il regarde la route. Pourquoi ils s'en vont toujours tous, juste quand on a besoin d'eux si fort ? Pourquoi Teddy s'en va, comme son papa ? Harry voudrait s'en aller lui aussi en courant, et ne jamais revenir. Il a envie de battre Teddy. Il a envie de pleurer.

Teddy ouvre la bouche et tend une main :

— Harry...

Mais Harry l'interrompt tout de suite :

— T'es pas forcé de partir ! Tu t'en vas parce que tu veux.

— Non, je ne veux pas ! proteste Teddy, surpris du ton de Harry et de son regard mauvais.

— Tu peux rester, si tu veux. T'es bien resté, l'autre jour ! T'avais dit qu'il fallait que tu partes, et t'es resté !

— J'ai encore plus envie de rester aujourd'hui, dit Teddy gravement. Mais ma permission est finie. Il faut que j'y aille, ou bien ils me mettront en prison.

Harry cligne des yeux, deux fois, et d'un seul coup il jette ses bras autour du cou de Teddy, et il fond en larmes. Henry se met à pleurer lui aussi. Teddy, retenant ses larmes lui aussi, les embrasse et les embrasse encore tous les deux. Il murmure :

— Il ne faut pas être malheureux...

Cramponné au cou de Teddy, Harry se frotte

la joue contre les favoris bien rasés. Teddy s'en
va... Il pense à la corbeille de porcelaine cassée.

— Tu sais ce que je vais faire ? dit Teddy, en
se redressant avec un sourire mouillé.

— Quoi ? dit Harry, qui se frotte le nez en
reniflant.

Teddy tape de son soulier mal ciré :

— Je vais l'appeler Henry.

Il regarde le plus petit, puis il tape de son
soulier brillant :

— Et celui-là, je vais l'appeler Harry.

Il fait un sourire à Harry. Henry glousse.

— Henry et Harry ? répète Harry.

— C'est ça, dit Teddy. Comme ça, je pourrai
aller partout, ça sera...

Il se lève et marche au bord du macadam, en
balançant les bras, et en marquant le pas :

— Henry... Harry, Henry... Harry... Toujours
avec moi.

Il revient vers eux :

— Henry... Harry, Henry... Harry.

Il les reprend dans ses bras :

— C'est bien, non ?

Ils répondent en chœur :

— Oui.

Il prend son sac de marin sur le chariot :

— Occupez-vous bien de votre maman. Promis ?

— Promis, dit Harry.

Avec un soupir, il regarde Teddy traverser la
route.

— Henry et Harry, dit-il en s'éloignant, et en

se retournant pour les regarder. Henry... Harry,
Henry... Harry.

Teddy lève son pouce pour faire du stop, et la
première voiture qui passe s'arrête. Personne
ne remarque le camion des frères Triplett, qui
ralentit en passant dans l'autre sens :

— Méfie-toi des Japs ! crie Henry de l'autre
côté de la route, pendant que Teddy monte son
sac sur le siège arrière de la voiture.

Teddy fait un grand geste du bras et c'est fini.
Il est parti.

17

HARRY FERME DOUCEMENT LA PORTE DE DER-
rière et suspend la lampe-torche à son clou.
Henry est déjà dans la grande pièce où Nita
enlève son casque.

— Bonsoir, maman, dit le petit.

— Bonsoir.

Elle se penche pour l'embrasser. Harry reste
à l'entrée de la pièce. Une fois couché, Harry
demande, d'un ton hésitant :

— Maman...

Elle le regarde en souriant.

— Pourquoi Teddy pourrait pas être notre
papa ?

Il regarde, pour voir si sa question ne met pas
maman en colère. Puis :

— Henry et moi, on l'aimait bien...

— Je sais, chéri, dit-elle en le prenant dans ses
bras. Moi aussi, je l'aimais bien.

— Et il nous aimait bien, lui, maman.

Nita lui caresse les cheveux :

— Mais être un papa, ça n'est pas seulement aimer bien quelqu'un, dit-elle.

— Notre vrai papa, il faisait quoi, en plus ?

Il baisse les yeux. Nita hésite un instant :

— Il faisait... il faisait des choses.

— Tu regrettes, maman ?

— Oui, dit Nita après une autre hésitation. Il me manque.

— Alors, pourquoi il est pas ici avec nous ?

Harry se dégage pour mieux voir le visage de Nita. Il doit bien y avoir des réponses à ses questions, quand même !

— Il y a des fois où les grandes personnes demandent d'autres choses à la vie. C'est difficile à expliquer, dit-elle.

— Qu'est-ce que tu demandes, toi, maman ?

Elle le regarde, puis elle détourne les yeux vaguement :

— Je crois que je demandais juste à être bien chez nous, dit-elle en haussant les épaules.

Il demande :

— Et papa ? Qu'est-ce qu'il demandait ?

— Il demandait à voir du pays, dit-elle doucement.

Harry a l'air très triste :

— Et pourquoi vous ne faisiez pas ça chacun votre tour ?

— On n'y a jamais pensé, tu vois, dit-elle.

C'est son tour à elle, maintenant, de baisser les yeux :

— On aurait dû...

Elle se demande maintenant pourquoi il ne lui est jamais venu à l'idée qu'ils auraient pu faire les choses tour à tour, en effet, comme elle l'a appris aux enfants. Elle l'embrasse encore :

— Il faut aller dormir, maintenant.

A la porte de sa chambre, il se retourne une dernière fois vers elle :

— Où il est, maman, notre papa ?

— Je ne sais pas, chéri, dit-elle. Il s'est engagé dans l'Armée au début de la guerre. Je n'ai plus jamais eu de ses nouvelles.

— Tu crois qu'il nous aime encore ?

Nita sourit :

— Votre papa n'était pas le genre de papa qui s'arrête d'aimer ses enfants.

— Alors il serait resté avec nous, s'il nous aimait, dit Harry avec force en entrant dans sa chambre.

— Harry, dit-elle, épuisée. Chéri, ne te pose donc pas tant de questions.

Elle se passe la main dans ses cheveux moites. Il se fait un long silence. Puis :

— Bonne nuit, maman.

Au bout de quelques minutes, Nita s'en va et referme la porte de la pièce de derrière. Il n'y a plus qu'elle et le standard.

Personne ne dort plus sur le divan dans la pièce de devant. Teddy est parti. Elle traverse la pièce lentement et s'arrête devant l'étagère du coin. La photo est toujours là, dans son cadre d'étain banal : Harry et Henry et Walter, l'air tellement heureux.

A côté de la photo, il y a le petit tas de morceaux de porcelaine. « Exposition du Texas,
1934. »

Et Nita se met à pleurer, en silence, toute
seule.

18

M. RIGBY SIFFLOTE EN DESCENDANT DE LA VOI-
ture de la Southwestern Consolidated
Telephone Company, le lendemain matin. De son
perchoir dans l'arbre de Chine, Henry l'observe
attentivement. Une grande femme, avec les cheveux relevés sur la tête en longs rouleaux, sort
de la voiture et, sur ses jambes maigres, suit le
complet sombre de M. Rigby.

— Ah, bonjour, Henry ! dit M. Rigby d'un ton
jovial, en direction des petits pieds bronzés au-
dessus de sa tête. Tu as attrapé des Japs ?

— Je crois que je m'en suis fait un hier, dit
Henry en les regardant d'en haut.

La dame lève les yeux.

— C'est vrai ? dit M. Rigby. Alors, continue à
ouvrir l'œil. Tu es très utile à notre pays. Tout
le monde est fier de toi.

— Voilà Miss Andrews.

Il montre la femme maigre dont la bouche,

peinte en rouge vif, constate Henry, dépasse de
beaucoup les vrais contours de ses lèvres.

— Salut, Miss Andrews, dit Henry.

— Qu'est-ce que tu fabriques dans cet arbre ?
demande la femme.

— Je guette les Japs en sous-marin, dit
Henry. Mais je crois qu'ils sont plutôt en avion.
Tu sais la tête qu'ils ont ?

Il voudrait dire à la dame qu'ils ne ressemblent pas du tout aux bandes dessinées qu'il a
dans la poche. Il entend M. Rigby qui souffle à
la dame :

— Dites oui.

— Oui, je sais la tête qu'ils ont, dit-elle. Ce
sont des petits salopards maigrichons.

M. Rigby lui prend la main et la guide vers le
perron.

— Et ils sont méchants, dit Henry, et ils
essaient de te descendre, mais quelquefois c'est
eux qui sont descendus.

Il voudrait lui faire part de ses connaissances
toutes fraîches sur le sujet.

— Continue de faire ton devoir, Henry, dit
gaiement M. Rigby.

Puis, à Miss Andrews, il glisse à mi-voix :

— Ne vous lancez pas dans une conversation.

Au coin de la maison, Harry apparaît, en équilibre instable sur le vieux vélo bleu.

— Ça gaze, Harry, on dirait ? lance M. Rigby
en attirant Miss Andrews hors de la trajectoire.
Tu t'y mets, hein ?

Etonné, Harry lève les yeux et Henry, entre

ses deux pieds nus, voit le vélo se renverser et balancer Harry dans la poussière.

— Nita ! crie gaiement M. Rigby à travers la moustiquaire en ôtant son chapeau. Nita ! C'est moi, John Rigby !

Il fait entrer Miss Andrews dans la pièce de devant, celle qui est rose.

— Ah, bien ! Vous êtes là ! dit-il avec un large sourire quand Nita apparaît à la porte de la grande pièce.

— Vous pensiez que j'aurais été où ? dit-elle d'un air méfiant.

— Je vous présente Miss Andrews, dit-il, le sourire aux lèvres, en s'inclinant légèrement. Miss Andrews, je vous présente Nita Longley.

— Enchantée, dit Nita.

— Quel taudis ! s'exclame Miss Andrews en regardant autour d'elle, les coins de sa bouche trop rouge descendant de chaque côté.

— Nita, dit M. Rigby, j'ai de bonnes nouvelles pour vous, quelque chose dont je m'occupe depuis un bout de temps. Ça vient d'arriver ce matin.

— Dis donc, Johnny, coupe Miss Andrews, ça n'est pas comme ça que tu me l'as raconté !

— Je n'ai pas pu vous le dire avant, reprend M. Rigby en jetant un regard d'avertissement à Miss Andrews. J'avais peur de vous faire de la peine si ça ne marchait pas, mais...

— Tout ça, c'est dégueulasse ! s'exclame Miss Andrews en tapant de son pied osseux.

— Ce matin, j'ai reçu la bonne nouvelle qui

m'a donné tant de mal. J'avais même prié, tenez.
Nita, je vous ai trouvé une autre place, dit-il,
rayonnant.

— Comment ? s'écrie Nita.

— C'est une surprise pour moi aussi, ma
chère, dit Miss Andrews en se croisant les bras
sur la poitrine.

— A Wichita Falls, dit-il avec un sourire. Un
joli bureau, des heures régulières. Et c'est
Miss Andrews qui va vous remplacer ici.

— Ça, c'est moins sûr, coco ! dit Miss Andrews en allumant une cigarette tirée d'un étui
sorti de son sac.

— Vous allez être opératrice en chef, poursuit en hâte M. Rigby. Qu'est-ce que vous en
dites ? Avec trois autres filles. Vous aurez un
bureau. Huit heures cinq heures. Et, bien sûr,
c'est mieux payé...

— M. Rigby..., murmure Nita, incrédule.

— Tenez, regardez !

Il fouille dans la poche de son manteau :

— Les billets de car pour vous et les garçons.
Je les ai achetés moi-même, payés de ma poche.

— M. Rigby, si c'est une plaisanterie...

Nita joue avec la croix autour de son cou.

— Le car part demain matin.

Il lui tend les billets :

— Vous voyez ? L'heure est marquée dessus.

Nita lit tout haut :

— Dix heures ?

— C'est ça. Dix heures, dit-il avec enthousiasme en lui tendant la main. Mes félicitations, Nita !

Nita, appuyée contre le mur, regarde encore les billets d'un œil vide, tandis que M. Rigby saisit le bras de Miss Andrews pour la pousser vers la porte dans un nuage de fumée.

— Je suis désolé de partir déjà, dit-il, mais il faut que nous retournions au bureau pour remplir les papiers de Miss Andrews.

— Il va peut-être falloir rouvrir nos négociations, mon petit Johnny, dit Miss Andrews avec une large grimace.

M. Rigby pousse la moustiquaire et s'arrête net, soupirant comme un pneu crevé, en voyant une Ford grise s'arrêter derrière sa voiture sur la route. Il murmure :

— Oh... oh...

En écartant les feuilles de l'arbre de Chine, Henry regarde la voiture s'arrêter et la portière du conducteur s'ouvrir. C'est le même homme avec les grosses dents et les lunettes qui est déjà venu : le Jap qui a parlé avec maman, qui était tellement furieuse contre lui ! Henry remonte ses pieds pour qu'on ne le voie pas et regarde l'homme faire le tour de la voiture pour ouvrir la porte de derrière. Un autre homme descend.

Puis le Jap remonte dans la voiture, tandis que l'autre homme vient vers la maison. Henry se penche, presque couché sur sa branche. C'est peut-être un jeu. Il crie, d'une voix sinistre :

— Hep là, Monsieur ! Arrêtez !

En bas, l'homme s'arrête au milieu de la cour

et regarde autour de lui dans toutes les directions.

— Qui vous êtes ? demande Henry. Et qu'est-ce que vous voulez ?

L'homme lève les yeux :

— Dudley !

L'homme sourit :

— Salut, Henry !

C'est l'homme de l'autocar, Dudley Voss ! Tout excité, Henry descend de son arbre, oubliant un moment que Dudley est descendu de la voiture où se trouve le Jap.

— Je pensais bien que j'avais des chances de te voir aujourd'hui, dit Dudley à Henry, qui atterrit juste devant lui dans un nuage de poussière.

— Qu'est-ce que tu viens faire ici, Dudley ? demande l'enfant en se remettant debout et en frottant la poussière sur son pantalon.

— J'ai une petite affaire à régler avec ta maman, dit Dudley avec un sourire, et avec cet homme-là.

Il regarde d'un œil glacial M. Rigby, toujours debout à la porte, à côté de Miss Andrews et Nita.

— Mme Longley ? dit Dudley en montant sur le perron. Je suis le juge Voss.

— Dudley ! s'exclama Henry. T'es un juge ?

— Henry ! dit Nita.

— Ne vous inquiétez pas, dit le juge Voss en souriant. Henry et moi, nous sommes de vieux amis.

M. Rigby essaie de se glisser devant lui pour descendre les marches.

— Vous êtes John Rigby ? demande le juge Voss. Vous êtes venu ici tout de suite, on dirait ?

M. Rigby ravale sa salive et regarde Nita. Miss Andrews exhale une longue fumée de cigarette. Henry, au bas des marches, regarde de tous ses yeux.

— Qu'est-ce qu'il vous a dit, Mme Longley ? demande le Juge.

— Que je suis mutée, dit Nita. A Wichita Falls...

— Il y a longtemps que je m'en occupe, M. le Juge, marmonne M. Rigby. Je...

— Est-ce qu'il vous a dit qu'il vous a menti ? demande le Juge.

— Ah... ah ! commente Miss Andrews avec mépris, en jetant son mégot plein de rouge à lèvres dans la poussière. Le beau Johnny a des ennuis...

M. Rigby baisse les yeux en fronçant le sourcil.

— Non, Monsieur..., répond Nita, mal à l'aise, en regardant tour à tour les deux hommes.

— Il vous a dit que vous n'êtes pas requise ? Que vous ne l'avez jamais été ? demande le Juge en regardant M. Rigby, qui a l'air de se ratatiner aux dimensions d'un caniche en veston. Est-ce qu'il vous a dit qu'aux termes de la loi vous ne gagnez pas assez pour être requise sur place ?

— Non, Monsieur, répond Nita, incrédule. Il ne m'a pas dit ça.

— C'est pourtant la vérité. J'ai vérifié moi-même à l'Agence. C'est on ne peut plus clair. La loi ne permet pas que vous soyez requise civile sur place avec ce que vous gagnez.

— Je vous ai trouvé une remplaçante, Nita, dit M. Rigby, affolé. C'est vrai, ça !

— En tout cas, ça n'est pas moi, espèce de bon à rien, grogne Miss Andrews.

— J'ai appelé sa société ce matin, dit le Juge. Ils ne sont pas du tout au courant de cette histoire. C'est eux qui ont arrangé la mutation à Wichita Falls. Et, ajoute-t-il en se tournant vers Miss Andrews, ils ont déjà trouvé un remplaçant pour ici, Madame.

— Où donc ? demande Miss Andrews avec mépris. A l'asile de fous ?

— Un remplaçant ? demande M. Rigby. Qui ça ?

— La société vous a désigné vous-même, M. Rigby, dit le Juge avec un sourire.

— Moi ? sursaute M. Rigby ! Ça, alors ! Dans ce cas-là, je démissionne !

— La loi vous l'interdit, dit le Juge. Vous êtes requis sur place. Vous êtes payé assez, vous, pour être requis jusqu'à la fin de la guerre.

Désemparé, M. Rigby regarde tour à tour le Juge, Nita, Miss Andrews.

— Ils veulent vous voir au siège, dit le Juge.

Miss Andrews éclate de rire :

— Ça, alors! Monsieur le Fier-à-Bras va devenir téléphoniste !

M. Rigby lui jette un coup d'œil lourd et tourne les talons pour retourner à sa voiture.

Miss Andrews sautille derrière lui, en balançant son sac en riant.

Epuisée, Nita s'appuie au poteau du perron. Wichita Falls !

Tandis que Harry remonte sur le petit vélo, Henry saute du perron dans la cour. Nita s'écrie :

— On va déménager !

Le guidon a tourné d'un seul coup et le vélo est tombé. Quand le nuage de poussière s'est dissipé, on voit Harry courir vers le perron comme un personnage de dessin animé.

— On déménage ?

— Je vous remercie beaucoup, dit Nita au Juge avec un sourire. Hier, j'ai bien cru que tout était fichu.

— Vous voulez dire quand mon huissier est venu vous voir ?

Elle fait signe que oui. Henry éclate de rire :

— Harry et moi, on a cru que c'était un Jap, pas vrai, Harry ?

Gêné, Harry regarde le Juge, puis l'huissier dans sa voiture, puis ses souliers.

— Il me l'a dit, fait le Juge avec un petit rire. Il n'en a pas fini !

Il se tourne vers Nita :

— De toute façon, j'avais l'intention de regarder ça de près. Et puis votre ami m'a fait un peu presser.

— Quel ami ? demande-t-elle.

— Ce jeune marin... j'ai oublié son nom...

— Ah, dit-elle en souriant. Teddy !

— C'est cela, dit-il. Je crois bien que c'est

Teddy. Il est passé hier soir. Pour me dire ce qui se passait ici.

Elle sourit. Teddy ! Le standard appelle.

— Bonne chance dans votre nouveau job, dit le Juge en lui tendant la main.

— Merci pour tout, M. le Juge. C'est tellement important pour nous !

Ses yeux gris sont pleins de chaleur. Elle ouvre la moustiquaire et disparaît dans la pièce rose pour répondre au téléphone.

— Au revoir, les enfants..., dit le Juge en tendant sa main à Harry, qui la serre gravement.

— Ecris-moi de temps en temps, dit-il à Henry en lui serrant la main à son tour.

— Je ne sais pas encore écrire, avoue Henry. Mais je sais dessiner.

— Ça ira très bien. Envoie-moi un dessin, dit le Juge en descendant du perron pour aller à sa voiture où l'attend l'huissier.

— Je t'enverrai un dessin d'un Tigre volant ! dit Henry. Mais tu sais, c'est pas un tigre pour de vrai !

Le Juge sourit et fait au revoir du bras, tandis que l'huissier lui ouvre la portière. Puis il monte dans la voiture.

Quand l'huissier, revenu au volant, a rejoint la route, le Juge dit, d'une voix unie :

— Joe Bill ?

— Oui, Monsieur le Juge ?

— J'ai quelque chose à vous dire, Joe Bill.

Il enlève la cellophane et la bague d'un cigare neuf :

— Quelque chose d'important.

— Oui, Monsieur le Juge ? dit l'huissier d'un ton plein de zèle.

Le Juge coupe le bout du cigare entre ses dents et l'allume :

— Joe Bill, personne n'est plus mauvais juge que toi en ce qui concerne les êtres humains.

— Oui, Monsieur le Juge, marmonne l'huissier.

Alors un lourd nuage de fumée s'abat sur lui.

19

Henry est a quatre pattes, accoudé sur le linoléum craquelé de la cuisine et, le menton dans les mains, il lit une bande dessinée en couleurs dans un magazine. Pim, Pam, Poum sont poursuivis par un gros chien avec un collier à pointes et des dents tout aussi aiguisées. Henry jubile.

— Tiens, dit Harry, qui décroche les deux dernières tasses et les tend à son petit frère.

— Y aura des bandes dessinées, à Wichita Falls ? demande Henry en enveloppant une tasse dans la feuille de journal et en la mettant dans le carton près de la table.

— Je ne sais pas, dit Harry. Il y a des chances.

Il traîne une chaise près de l'évier et grimpe dessus pour atteindre les plus hautes étagères.

Avant d'envelopper l'autre tasse, Henry cherche attentivement « Terry et les Pirates », les dessins de ces personnages au visage couleur moutarde qui, il le sait, sont des Japs. Mais il n'y en a pas.

Il se demande si on connaît les Japs, à Wichita Falls. Il se demande si on sait, là-bas, que les gens peuvent être tirés comme des oiseaux et tomber, froids et morts, trop abîmés pour se réveiller, tués...

— Tiens, Henry, dit Harry en lui tendant la jatte à sucre transparente qu'il descend de sa niche sur la dernière étagère. La jatte à sucre ! Henry se lève du coup et la prend des mains de son frère.

Dès que Harry s'est retourné vers le buffet, Henry ouvre le couvercle et plonge sa main dans le sucre cristallisé pour s'en fourrer plein la bouche à toute vitesse.

— Je t'ai vu ! s'écrie Nita en passant la tête par la porte au moment où Henry se lèche les doigts.

Elle l'attrape pour jouer, mais Henry lui échappe et, en éclatant de rire, plonge sous la table, éparpillant les journaux derrière lui.

— Viens, Harry !

Nita se met à quatre pattes et rampe sous la table pour rattraper Henry :

— Viens, Harry ! On va l'attraper !

Harry saute de l'évier et saisit une jambe de son frère. Nita le chatouille, de son côté. Et Henry gigote en criant :

— Non, non ! Arrêtez !

Nita finit par se retourner sur le dos, saisie

par le fou rire. Alors les petits se mettent à la chatouiller en riant aussi fort qu'elle.

— Non, Harry! Non... Henry! Arrêtez!

Elle les attrape tous les deux, un dans chaque bras, les serre contre elle, et ils continuent à rire en se roulant par terre sous la table de métal, parmi les bandes dessinées chiffonnées.

Henry ne se rappelle pas que sa mère ait jamais joué avec eux comme ça. Mais ça ne l'étonne même pas, tellement c'est bon.

Au bout d'une minute, Harry demande :

— Dis, maman, c'est vrai qu'on déménage ?

Elle le serre contre elle en riant :

— Il paraît, oui.

— C'est parce que... je me demande...

Henry s'aperçoit que son frère est inquiet.

— Comment notre papa nous retrouvera ? dit Harry.

Henry n'y avait pas pensé. Nita les serre tous les deux dans ses bras et embrasse Harry sur la tête.

— Peut-être qu'on va se trouver un nouveau papa un de ces jours, dit-elle.

— Tu crois ? demande Harry, sceptique.

Henry le comprend. Ce n'est pas si facile de se trouver un autre papa. Il n'y a qu'à voir Teddy.

Nita ferme les yeux et les berce tous les deux :

— Ça se pourrait..., murmure-t-elle.

Harry et Henry sont couchés bien tranquillement, les yeux grands ouverts sur le dessous de la table, tendrement serrés dans les bras de maman.

— Il faut faire un vœu, comme pour une étoile filante, souffle-t-elle à l'oreille d'Harry.

Deux heures plus tard, les enfants retrouvent M. Bailey qui pousse sa tondeuse sur le chemin.

— Tu sais quoi, M. Bailey? crie Henry en courant vers lui.

M. Bailey s'assoit sur le bas-côté et leur fait son demi-sourire, en remuant les épaules et en les regardant l'un après l'autre.

— On déménage! dit Henry, rayonnant. Maman va changer de travail.

La moitié du visage de M. Bailey montre une vive surprise.

— On va aller à Wichita Falls, explique Henry. Tu sais où c'est?

M. Bailey lève lentement un doigt et montre la route vers le nord.

— C'est loin? demande Harry, tout triste.

M. Bailey fait signe que oui, en regardant Harry bien en face.

Loin? Henry comprend brusquement. Il regarde tour à tour son frère et M. Bailey. Il demande:

— Tu ne peux pas venir aussi, toi?

M. Bailey, la tête baissée, fait signe que non.

— Mais tu viendras nous voir de temps en

temps ? demande Harry en posant sa main sur le bras de l'homme de peine. S'il te plaît...

— Il y a pas une cour à Wichita Falls ? demande Henry, la bouche tremblante.

Il essaie en vain d'imaginer la vie sans M. Bailey. M. Bailey fait signe que oui, il y a des cours à Wichita Falls, en essayant de retenir une larme dans l'œil unique qui lui reste. Il tapote le crâne de Henry.

— On s'en va demain matin, dit Harry, avec effort.

Il n'arrive pas à imaginer qu'il ne reverra plus jamais M. Bailey. M. Bailey se lève avec peine, essuie son œil et se met à fouiller dans la poche de son vieux pantalon. Il en sort un vieil anneau tout usé. Il le tend à Harry, qui l'examine et s'exclame :

— C'est pour garder ?

— Une vraie bague ! s'écrie Henry.

M. Bailey confirme d'un signe de tête en montrant tour à tour les deux enfants.

— C'est pour moi aussi ? demande Henry en tendant la main vers l'anneau rouge et or.

M. Bailey fait de nouveau un signe d'acquiescement et pose un doigt sur ses lèvres.

— Il ne faut pas le dire ? demande Harry.

De nouveau, M. Bailey confirme en silence. Harry reprend l'anneau à Henry et le fourre dans sa poche.

— On dira rien ! dit-il, tout excité. Ça sera notre secret !

M. Bailey prend les deux enfants dans ses bras.

— Tu vas nous manquer, M. Bailey ! dit Harry, au bord des larmes, en se serrant contre lui. T'es notre meilleur ami, à Henry et à moi.

Des larmes lui coulant sur une joue, M. Bailey fait signe aux enfants de retourner à la maison.

— J'espère que tu viendras vite, M. Bailey ! dit Henry en souriant.

Il est sûr que M. Bailey ne leur donnerait pas son anneau s'il n'avait pas l'intention de venir les voir à Wichita Falls. M. Bailey fait signe que oui et leur dit adieu d'un dernier geste.

— Au revoir, M. Bailey ! dit Harry, tout triste, en tâtant la bosse que fait l'anneau dans sa poche. Et il a aussi une bosse dans la gorge. Wichita Falls, c'est loin, très loin. Et M. Bailey ne viendra jamais les voir, il le sait bien.

L'homme de peine retourne à sa tondeuse, dont le bruit couvre celui des pas des enfants qui s'éloignent. Puis il se retourne encore pour les regarder, et la maison derrière eux, le visage creusé d'une douleur muette.

20

Nita se retourne et, le dos a la mousti-quaire, regarde à travers la maison jus-qu'au-delà de la porte de derrière. Elle a peine à réaliser qu'ils s'en vont malgré les cartons entassés près de la porte dans la grande pièce.

Elle met la main dans la poche de sa robe d'intérieur. Elle tâte les billets d'autocar. Gregory - Wichita Falls. Elle lit l'heure de départ, à la lumière rosée de la fin d'après-midi, dans la pièce de devant : dix heures du matin.

Le divan, le fauteuil... Elle fait l'inventaire des meubles de la pièce. Ils les laissent en partant. Le poste de radio, avec son dessus arrondi... l'étagère... Elle s'arrête : il y a la photographie dans son cadre d'étain. Elle pourrait la mettre dans la valise de carton entre ses vêtements, pour que le verre ne se casse pas. En prenant la photo, elle remarque le petit tas de porcelaine brisée.

1934. Il reste un morceau rond de l'œuf bleu. Il y a presque dix ans. Il n'y avait rien eu d'autre à faire alors, que de continuer.

Avec le bord du cadre, elle pousse doucement dans sa main les morceaux de la corbeille et de son contenu. Elle va laisser ici une partie d'elle-même. C'est la fin de quelque chose, se dit-elle. Mais de quoi ? De l'impuissance, du désespoir auxquels elle s'était habituée ?

Emportant les cassons, elle traverse la grande pièce jusqu'à celle du fond et pousse la mousti-quaire de derrière. Elle va enterrer tout ça dans la pénombre du soir, presque dix ans d'un passé à jamais révolu...

Avec un bâton, elle creuse un petit trou et y dépose les débris de la petite corbeille. Elle pense que rien ne sera plus pareil, désormais. Maintenant qu'elle a repoussé la terre, on ne voit même plus qu'il y a eu un trou. Elle pose le bâton dessus.

Elle se relève, frotte la terre sur ses mains et remonte les marches. Le soleil se couche. Il a l'air arrêté au-dessus de l'horizon, comme un œuf d'or éphémère. Elle regarde à travers la pièce de derrière, la grande pièce, et à travers aussi la pièce de devant, jusqu'au perron encore éclairé par la lumière du jour qui s'éteint.

Une main sur la moustiquaire, elle se retourne et regarde la cour de derrière une dernière fois,

avec le sentiment poignant d'être sur la plate-
forme du dernier wagon d'un train qui s'en va
dans la nuit tombante, vers où, Dieu seul le sait,
laissant tout derrière lui...

21

Tard dans la même nuit, a l'heure où Harry et Henry sont au lit à l'autre bout de la ville, personne ne voit le vieux camion à bestiaux rouge fatigué de Calvin et Arnold qui descend à toute vitesse le chemin de terre tout au bout des dernières lumières de Gregory. Personne n'entend Calvin crier :

— Allez, on y va, Arnold !

Et personne n'entend non plus le rire dément d'Arnold, ni ne voit la bouteille de bière qui vole de la fenêtre du camion pour venir s'écraser sur la boîte à lettres au bord de la route.

Personne ne voit les phares du camion ralentir devant une petite ferme, ni n'entend grincer les vitesses quand Calvin rétrograde.

La maison obscure est réveillée en sursaut par le fracas du camion qui enfonce la porte et le mur de bois, son moteur emballé rugissant, les pneus tournant à toute allure. Et une seule personne reconnaît les voix qui crient en rigolant :

— Allez, debout, Pancho Villa !

Crecencio, inquiet, saute de son lit en slip et, le cœur battant, écoute le hurlement de l'avertisseur.

— *Por Dios, Crecencio, que pasa ?* crie Teresa, sa femme, tandis que le bruit dément continue de percer la nuit.

— Crecencio !

Dans l'autre pièce, les enfants commencent à pleurer. Il entend son fils, Berto, qui crie plus fort que le moteur :

— Papa !

La lumière des phares du camion entre à travers le mur enfoncé de la grande pièce, éclairant la Vierge de la Guadalupe, sans défense dans son cadre doré.

Crecencio lève son bras pour ne pas être aveuglé. Il crie :

— Non, mais, c'est fini, oui ? Qu'est-ce qui vous prend ?

Il entend Calvin hurler :

— Vas-y, Arnold !

— Papa !

Les deux dingues !

Paniqué, Crecencio court, de la pièce inondée de lumière, vers la porte de derrière.

— Crecencio !

C'est Teresa, debout à la porte de la chambre à coucher, serrant un drap devant elle. Les enfants ! Elle se précipite dans leur chambre.

Maria del Soccoro et Adriana se serrent l'une contre l'autre dans leur lit en hurlant. Berto, debout à la porte, gémit :

— Qu'est-ce qu'il y a, maman ?

En se débattant désespérément avec le bouton de la porte, elle réussit à le verrouiller derrière elle. Elle essuie ses larmes de terreur, saisit le petit garçon et le jette dans le lit avec ses sœurs. Elle chuchote :

— Ayez pas peur. Papa est là.

Toute tremblante, elle serre les trois petits sur sa poitrine.

Ils entendent la porte de derrière claquer et ils écoutent un bruit de course passer devant la fenêtre. Les pas viennent du porche et vont à la cour de derrière.

Dehors, Crecencio n'entend que le bruit de son souffle qui lui racle la gorge et il ne sent que son ventre qui tressaute. Il court de toutes ses forces dans le champ derrière la maison. Sur l'herbe sèche, derrière lui, il entend le lourd bruit de bottes. Non !...

Il entend Calvin crier :

— Tue-le ! Tue-le, Arnold !

A bout de souffle, Crecencio butte contre les barbelés au bout du champ et il entend le rire énorme d'Arnold qui se rapproche, comme un gros chien de chasse à la curée.

Sa dernière pensée, en se déchirant aux barbelés pour essayer vainement de les franchir, c'est Berto.

Il ne verra même pas le morceau de bois carré
qui s'abat sur sa tête par-derrière. Il ne se sen-
tira pas tomber, d'un bloc, le souffle coupé, les
jambes agitées de spasmes inconscients, dans les
mauvaises herbes au pied de la clôture.

22

A LA LUEUR DE LA LAMPE, AU-DESSUS DU STAN-
dard, dans la grande pièce, Henry, de son
lit, distingue la forme du carton où, avec Harry,
ils ont empaqueté leurs jouets, et celle de la
valise de métal qu'ils ont bourrée de leurs blou-
sons, de leurs jeans, de leurs slips, de leurs
baskets et, bien sûr, de leurs costumes marins.

Demain, ils s'en vont ! Demain, ils s'en vont
d'ici pour toujours ! C'est excitant, et aussi un
peu inquiétant, et un peu triste. C'est la dernière
nuit qu'il dort dans son lit, dans sa chambre.
Il ne se rappelle même pas avoir jamais dormi
ailleurs.

Il se dit que c'est peut-être la dernière fois
qu'il va aux cabinets, en allant chercher la
lampe-torche accrochée au clou à la porte de
derrière. Il se retourne pour regarder, par la
porte de la grande pièce, mais maman dort dans
son lit, avec un tas de cartons et deux vieilles

valises ficelées à côté de la porte de la grande pièce.

La dernière fois !

Dans les cabinets, la porte ouverte derrière lui, avec la torche, il cherche les araignées dans le trou, pour la dernière fois. Il cherche le bâton dans le coin quand un bruit derrière lui le fait se retourner, à temps pour voir la porte se refermer d'un coup.

Il entend le verrou se fermer et il crie :

— Hé !

C'est Harry qui lui fait une blague ? Il appelle.

— Harry !

Pas de réponse, sauf le cri des cigales dans le terrain vague.

Au même moment, le standard se réveille. Nita s'assoit face à la lumière clignotante.

A moitié endormie, elle dit :

— Quel numéro demandez-vous ?

Elle rejette ses cheveux de son front moite. Un coup d'œil sur le terrain vague lui aurait seulement montré la vache qui rumine dans l'ombre du buisson, parmi le crissement des cigales : il y a longtemps que la longue veille solitaire et désespérée de M. Bailey a pris fin. Mais le même regard aurait pu lui montrer deux autres silhouettes juste au ras du cercle de lumière du perron. La plus grosse porte un sac de jute dans les ombres autour de la maison, et la plus grande, la maigre, s'approche du perron.

Nita s'est à peine recouchée qu'elle entend un petit bruit contre la porte de devant. Elle enfile

son peignoir bleu. Elle ouvre la porte, autant
que le permet la chaîne de sûreté ; elle sent un
petit vent frais sur son front et elle dit :

— Oui ?

L'ombre sur le perron, son chapeau tiré sur
la figure, dit :

— Je m'excuse, M'dame, de vous réveiller à
cette heure-ci. Je suis en panne sur la route et
faut que j'appelle mon frère, qu'il vienne me
chercher.

Nita regarde ce qu'elle peut voir du visage
entre le bord du chapeau et le col relevé.

— Y a pas d'autre endroit ouvert en ville où
je peux téléphoner.

Nita hésite. Elle soupire. A partir de ce soir,
elle n'aura plus à s'occuper de ce genre de
problème.

Il dit :

— S'il vous plaît, Madame, je tiens pas à passer toute la nuit sur la route...

— Bon, dit-elle, à moitié endormie.

Et elle détache la chaîne.

— Le téléphone est là, sur le mur.

L'homme entre dans la pièce de devant :

— Oui, Madame... Merci, Madame.

— Donnez-moi une seconde, dit-elle en entrant
elle aussi dans la grande pièce.

— Bien sûr, Madame, dit-il.

Nita ferme la porte derrière elle, s'assoit
devant le standard et met le contact.

— Quel numéro demandez-vous ?

Pas de réponse. Il fait chaud. Silence, à part

le bruit de la respiration de l'homme au bout du fil.

— Vous me le donnez, ce numéro ? dit-elle, fatiguée.

— Je l'ai pas.

Elle a entendu la réponse en même temps au bout du fil et à travers la cloison.

— Non, j'ai à peu près tout ce qu'il me faut, M'dame. Mais un numéro, ça, j'ai pas, c'est sûr.

— Alors le nom ? demande-t-elle, un peu irritée. Je chercherai...

— Dupont-Lajoie, dit-il en gloussant de rire[1].

— Pardon ? dit-elle, commençant à se sentir inquiète.

Il répète :

— Dupont-Lajoie. Et si vous me le demandez encore, je vous mets K.O.

Le rire mauvais que Nita entend dans le téléphone et à travers le mur lui glace le sang.

— Je... je m'excuse, dit-elle avec peine, je n'ai pas ce nom-là dans l'annuaire.

Elle tourne et retourne le nom dans sa tête. Dupont-Lajoie... La joie...

Il ricane :

— Ah, oui ? Ça m'étonne !

Les doigts de Nita cherchent machinalement la croix à son cou. Elle murmure, bafouillant presque :

— Je vous en prie... J'ai deux petits garçons.

1. Il s'agit évidemment ici d'une plaisanterie stupide analogue à celle du texte original, intraduisible en français. (*N.d.T.*)

Dupont-Lajoie...

— Mais oui, M'dame. Je les connais, vos deux garçons.

Elle bégaie :

— Le bar...

La peur la colle à sa chaise. Dupont...

— Oui, M'dame... C'est là que je les ai connus, dit-il. Pour sûr...

— Mon ami est là, chuchote-t-elle. Il faut que vous le sachiez...

Ses yeux se fixent sur le crochet près de la porte.

Calvin éclate de rire :

— Le marin ? Non, M'dame, il est pas là. Il est parti.

Nita ôte son casque d'une main tremblante et repousse sa chaise aussi doucement qu'elle peut. Elle se rapproche à petits pas de la porte qu'elle avait fermée entre elle et la pièce de devant. Dupont-Lajoie... Si seulement elle pouvait bloquer...

Mais la porte s'ouvre brutalement et voilà Calvin, avec son rire mauvais et les marques de la bagarre sur son visage, et la vilaine coupure que Crecencio lui a faite en travers de la joue avec la crosse de son fusil.

Il lève son long couteau de chasse.

— Je vous en prie ! crie Nita, les joues ruisselantes de larmes. Mes enfants...

— Je vais vous dire, M'dame, dit-il en l'écartant pour entrer dans la pièce. Si vous ne faites pas de vilain, je ferai pas de vilain à vos mômes. Donnant, donnant.

Debout contre la pile de cartons, Nita sanglote en regardant Calvin couper un gros écheveau de fils au pied du standard. Il regarde dans la pièce de derrière, mais les deux enfants ne bougent pas dans leurs lits.

— Entre là-dedans, dit-il en faisant, de son couteau, un geste vers la pièce de devant.

Serrant la croix d'une main et le devant de sa robe de l'autre, Nita se glisse, terrifiée, dans la pièce de devant. Alors, il dit, derrière elle :

— Allez, à poil !

C'est donc ça. Sans se retourner, elle déboutonne son peignoir et le laisse glisser par terre. Elle pleure tout doucement. Il ordonne :

— Retourne-toi.

Elle obéit et lui fait face maintenant, mais sans pouvoir le regarder.

Avec un grognement, il approche d'elle son couteau. Tremblante, le souffle court, elle pousse lentement les bretelles de ses épaules et laisse le léger vêtement glisser jusqu'à sa taille. Elle approche vaguement une main de sa croix, pour essayer de cacher ses seins. Elle n'arrive pas à s'empêcher de claquer des dents. Il crie :

— Arrête ça !

Elle laisse ses deux mains retomber et sent ses cheveux humides lui coller aux joues. Son corps est offert, sans défense, au regard.

— Fais-les bouger, souffle Calvin.

Nita reste pétrifiée. Elle n'arrive même pas à lever les yeux.

Il répète, d'une voix sèche, les yeux pointés sur les seins comme des poignards :

— Fais-les bouger !

Lentement, avec les bretelles de sa combinaison qui flottent à l'envers sur ses hanches, Nita se dresse sur la pointe des pieds, comme un automate, et se laisse retomber de tout son poids sur les talons. Il glousse et ordonne, le couteau toujours pointé :

— Encore.

Elle se remet sur la pointe des pieds et retombe. Elle a l'impression d'être une marionnette, ou un personnage de vieux dessin animé en noir et blanc.

— Hé, Arnold !

Il appelle son frère par la fenêtre, tout excité. Il en rit encore.

— Ouais ? répond la voix à côté de la maison.

— Comment ça va, pour toi ?

— Je suis tout prêt.

— Alors ramène-toi. Faut pas que tu rates le plus beau, crie Calvin.

Au bout d'un instant, Arnold répond :

— Le plus beau !

En entendant la deuxième voix, Nita est sur le point de s'effondrer. Ils sont deux ! Mais elle se cramponne désespérément à la promesse de Calvin : « Si vous faites pas de vilain, je ferai pas de vilain à vos mômes. »

Elle sent la sueur qui lui coule sous les bras et entre les seins.

Dehors, entendant un pas derrière lui, Arnold lève les yeux de la pile de journaux et de petit bois qu'il entasse contre la maison. Il s'apprête à se lever quand il entend un énorme sifflement, comme si un gros oiseau de nuit aux serres aiguës s'était abattu sur lui avec ses ailes de fer. Et c'est le dernier bruit qu'il entendra.

Le râteau à long manche l'a cueilli en pleine figure, les dents d'acier s'enfonçant dans sa chair, comme le bec sanglant d'un prédateur aux yeux de chat.

Dans la maison, Nita et Calvin ont entendu les bruits l'un et l'autre, une série de bruits mauvais, une respiration qui suffoque soudain, un gémissement, puis le bruit de quelque chose tombant sur le côté de la maison, sous la fenêtre. Puis c'est le silence, où l'on n'entend que le souffle haché de Nita et les cigales dans la nuit chaude.

Calvin écoute de toutes ses oreilles, s'approche de la fenêtre ouverte. Et il chuchote, à voix forte :

— Hé, Arnold !

Pas de réponse. Il appelle plus fort :

— Hep ! Psssst ! Arnold !

Toujours pas de réponse. Retenant son souffle, Nita écoute avec Calvin. L'air anxieux, Calvin va vers le devant. Le couteau à la main, il ouvre lentement la porte puis, tenant toujours le bouton intérieur, il passe sur le perron et appelle :

— Arnold ?

C'est le moment ! Nita se jette de tout son poids contre la porte et elle entend les os du poignet de Calvin qui s'écrasent. Calvin pousse un hurlement de bête blessée, arrache son bras de la porte, que Nita claque et verrouille. Elle entend Calvin qui tombe, en grognant, du perron sur le sol.

Prenant sa respiration, elle se précipite dans la grande pièce, cherchant le fusil qu'elle avait caché derrière le standard. Où est-il ? Le voilà ! Elle le prend à pleines mains.

Haletante, elle retourne en courant à la pièce de devant. La lumière ! Elle l'éteint et ferme la porte de la grande pièce, éclairée. Plus à l'abri dans l'obscurité, elle ramasse son peignoir par terre et enveloppe ses épaules tremblantes.

Le fusil pèse lourd dans sa main.

Dans le noir et le silence, elle entend, dehors, la voix de Calvin, écrasée de douleur.

— Qui est là ? Qui est-ce ?

Elle n'entend pas de réponse, sinon son propre souffle haletant. Puis un hurlement soudain et un bruit de lutte. Un gémissement étouffé, puis plus rien. Elle écoute, de tous ses nerfs, même ceux des pieds et des doigts. Finalement, Nita entend des pas lourds monter les marches du perron. Le cœur battant à tout rompre, elle écoute les pas traverser le porche et s'arrêter à l'extérieur de la porte de devant.

Elle lève le fusil à hauteur d'épaule, elle entend le grincement que fait toujours en tournant le bouton de la porte de devant.

Il suffit de pointer et de presser la détente. Mais la chaîne de sûreté, le « gendarme » est en place, la porte ne peut pas s'ouvrir.

Elle écoute encore les pas qui redescendent lentement les marches et elle voit une ombre passer près de la fenêtre, vers le derrière de la maison.

Transie de peur, Nita s'assoit par terre, le dos contre la porte de devant, son fusil pointé vers la porte de la grande pièce, et elle attend...

Henry, toujours enfermé dans les toilettes, donne de grands coups de pied dans la porte et pousse des hurlements de sorcière, et le pinceau de sa torche à travers les fentes des planches lance des bandes de lumière sur l'herbe. Et sur la main, dehors, couverte de sang, qui essaie en tremblant d'atteindre le loquet.

Henry hurle :

— Laissez-moi sortir ! Mama...aaaan ! Au secours, maman !

Soudain il sent la porte qui cède sous ses coups de pied et il la voit qui s'ouvre en silence devant lui. En une seconde, sans réfléchir, il se rue vers la maison à travers la cour et grimpe quatre à quatre les marches par-derrière, sa torche brinquebalant dans toutes les directions.

Derrière lui, il entend quelque chose de lourd qui tombe dans l'herbe. Quoi ? Mais la terreur l'empêche d'éclairer de ce côté-là. Il ouvre à la volée la porte de derrière et s'effondre dans la chambre.

Harry est là, il dort toujours, les couvertures tirées jusqu'au menton.

Henry court à la porte de la grande pièce. Où est maman ? Pourquoi la petite lumière en haut du standard est-elle éteinte ? Et la porte de la pièce de devant fermée ? Il écoute un moment, mais tout est calme. Qui donc l'a enfermé dans les toilettes ? Il traverse la grande pièce. Il chuchote :

— Maman ?

Il saisit le bouton de la porte de la pièce de devant. Nita, qui a entendu la porte de derrière s'ouvrir, regarde maintenant, affolée, la porte de la grande pièce craquer et un rayon de lumière éblouissant se diriger vers elle à travers le plancher de la pièce de devant.

L'espace s'agrandit. Elle retient sa respiration et braque de nouveau son fusil. Le shérif a dit qu'il a coupé la tête d'un homme, avec...

Le souffle bloqué, elle tire.

Henry tombe à la renverse sur le plancher de la grande pièce. Dans un bruit assourdissant, la porte a volé en éclats au-dessus de sa tête, juste là où aurait été celle d'un homme. L'enfant est couvert de plâtre et d'éclats de bois. Il hurle :

— Maman !

Et maman, paniquée, s'écrie :

— Henry ! Oh, non, Henry !

Elle se précipite sur lui, comme un fauve, déblaie les restes de la porte démolie. Secouée de sanglots incontrôlables, elle serre l'enfant sur son cœur :

— Henry ! Mon petit !

Derrière eux, Harry apparaît en pyjama dans la porte de la pièce de derrière. Il se frotte les yeux et dit, tout étonné :

— Maman ?

Tout en berçant Henry, elle a attiré aussi le plus grand contre elle et sanglote :

— Mes petits ! Mes petits !

Harry regarde, stupéfait, la porte défoncée. La peur de ce qui peut se trouver dehors, Nita l'a oubliée, quoi que ce soit. Elle a failli tuer son petit garçon. Il aurait suffi qu'il soit un tout petit peu plus grand. Il aurait suffi que ce soit Harry à sa place, peut-être. Comment a-t-elle pu faire ça ? Mais à quoi donc pouvait-elle penser ?

A travers ses larmes, par-dessus l'épaule nue de Harry, elle regarde la porte de derrière. Le crochet pend simplement. La porte n'est pas bouclée !

A travers les débris de bois et de plâtre, elle se précipite à la porte. A l'instant où elle tend une main tremblante vers le loquet, elle entend un léger grattement de l'autre côté de la porte.

Non ! Elle verrouille la porte et se précipite dans la grande pièce. En silence, tous les trois, ils sont debout au milieu, ils écoutent le grattement, ce grattement qui continue à la porte de derrière. Henry murmure :

— Maman, il y a quelqu'un qui m'a enfermé dans les cabinets !

— Maman, chuchote Harry, pourquoi t'as tiré et pourquoi t'as fait un trou dans la porte ?

Nita les serre encore contre elle :

— Chut ! Venez dans la pièce de devant. Asseyons-nous.

Lentement, les heures passent, et ils sont assis tous les trois sur le linoléum de la pièce de devant, obscure, chaude, écoutant le grattement qui diminue, presque comme si c'était une feuille morte prise dans la moustiquaire, ou une mite qui se débattrait dans une toile d'araignée dans le coin.

Puis tout se tait.

Et ils restent assis là, Nita et Harry et Henry, avec le fusil déchargé, assis dans le noir sur le sol contre le divan défoncé, à regarder la porte de derrière, immobiles, jusqu'à ce qu'enfin le soleil émerge.

23

Lorsque la lumière de l'aube réchauffe assez les murs roses de la pièce de devant pour emplir l'air d'une vapeur moite et colorée, Nita trouve enfin le courage de relâcher son étreinte sur Henry et d'étendre ses jambes.

Elle se lève et se rapproche, de côté, de la fenêtre à travers laquelle les frères Triplett ont parlé. Tout doucement, en essayant de ne pas montrer son visage, elle regarde dehors.

La première chose qu'elle voit, c'est la botte, immobile dans la terre. Elle se penche un petit peu plus contre la fenêtre. Le corps d'Arnold est étendu, saugrenu, dirigé vers la maison. Elle se penche encore un peu et elle voit la tête.

Elle se retient tout juste de hurler. Horreur ! De la tempe au menton, le visage est ouvert par une série de coupures sanglantes. Et tout près, les dents en l'air, l'arme du crime : un râteau de jardin à long manche, couvert de sang.

— Eh ben ! s'écrie Henry, les yeux écarquillés d'angoisse. Il est mort ?

— C'est lui qui jouait au billard ! dit Harry.

A la porte de devant, Nita ouvre le rideau et regarde dehors. L'autre est allongé sous l'arbre de Chine, avec le manche jaune d'un tournevis émergeant de sa poitrine.

— Ils sont morts, maman ? répète Henry.

— C'est toi qui les as tués, maman ? demande Harry.

Elle serre la main de Henry et murmure :

— Il faut s'en aller d'ici, venez !

Et elle déverrouille la porte de devant. Terrorisés, ils descendent tous les trois du perron, lentement, évitant le corps de Calvin sans le quitter des yeux, comme s'ils craignaient de le voir retirer le tournevis et leur courir après d'un instant à l'autre, et ils s'en vont vers le chemin en se tenant par la main.

Sur le chemin, ils se mettent à courir vers la maison de Francine Lucas. Une dame en peignoir bleu et deux petits garçons blonds en pyjama.

24

E N UNE HEURE, PLUSIEURS VOITURES SONT PAR-
quées devant la cabane de chasseurs de la
Southwest Consolidated Telephone Company, et
une bonne douzaine d'hommes sont rassemblés
dans la cour par groupes de deux ou trois, regardant les corps qu'on monte dans l'ambulance,
d'abord celui de Calvin, puis celui d'Arnold.

A l'écart, le shérif Ned Watson, les bras croi-
sés, le sourcil froncé, regarde arriver la Ford
grise du juge Voss.

— Bonjour, Ned, dit le Juge en s'approchant.

— Ça va, M. le Juge ? dit le shérif en dépliant
ses bras.

— Madame Longley et ses enfants n'ont rien ?
demande le Juge.

— Non, rien. Encore un peu secoués, bien
sûr, mais n'importe qui, à leur place... Ils sont à
l'arrêt de l'autocar.

— Qu'est-ce qui s'est passé au juste ? demande le Juge.

Le shérif se gratte la tête :

— Les deux bougres étaient des petites frappes, des bons-à-rien, des voyous. Si j'ai bien compris, le vieux Bailey...

— Qui ça ? demande le Juge.

— Regardez par là, derrière, dit le shérif.

Il le conduit à la véranda de derrière, où le corps de l'homme est allongé dans une mare de sang qui sèche, la main tendue vers la moustiquaire de la porte.

— Il servait d'homme à tout faire, la tondeuse, les petits boulots, vous voyez ? Il y a, mettons, deux ans qu'il était là. Une patte folle et la figure toute démolie. Il avait vraiment une gueule horrible. Bon bougre, à part ça, si on oubliait son visage.

— Vous voulez dire, Ned, interrompt le Juge, que c'est cet estropié qui a descendu les deux autres ?

Le shérif sourit :

— Incroyable, mais vrai. Tous les deux. Il en a sonné un avec son râteau, à côté de la maison.

Il montre la fenêtre :

— Le salopard était en train de faire un tas de bois et de vieux papiers, pour brûler toute la maison... après s'être envoyé Mme Longley, bien sûr.

— L'autre, il se l'est payé sous le petit arbre de Chine. Il lui a fourré un tournevis dans la poitrine, jusqu'au manche.

Il écarte ses deux mains d'une trentaine de centimètres :

— Long comme ça. Mais un petit trou pas plus grand qu'une balle de fusil. Ça suffit, bon Dieu. L'autre a été tué sur le coup.

— Bien sûr, le père Bailey a eu son compte aussi. Trois coups de couteau dans le ventre. Il a réussi à se traîner jusqu'ici, derrière la maison, en laissant des traces de sang tout le long. Mme Longley l'a entendu, mais, bien sûr, il n'était pas question qu'elle ouvre la porte. Elle avait ses deux gosses avec elle, dedans. Je la comprends, M. le Juge. Je n'aurais pas ouvert non plus, à sa place. Je veux dire... si j'étais une femme avec deux petits.

Le Juge acquiesce.

— En tout cas, le père Bailey, il s'est vidé de son sang, ici. Regardez, il a gratté la peinture sur la moustiquaire.

Le Juge fait tristement un autre signe de tête. Puis il lève la tête pour regarder un homme qui s'approche du coin de la maison.

— Vous connaissez mon adjoint, M. le Juge ? demande le shérif.

— Ça va, Clint ? demande le Juge en serrant la main de l'adjoint.

— J'ai le rhume des foins, dit l'adjoint en éternuant. Je n'arrive pas à m'en débarrasser.

— Il est malade presque tout le temps, dit le shérif.

— Faut rien exagérer.

— Tu es allé à la cabane du père Bailey ? demande le shérif.

— Bien sûr, répond l'adjoint. J'ai rien trouvé. Deux boîtes de saucisses et un bout de pain. C'est tout. Pas de papiers d'identité.

Il fouille dans la poche de sa chemise :

— C'est tout ce qu'on a trouvé dans sa combinaison.

Il tend au shérif une petite carte blanche. Le shérif la retourne et la regarde un moment.

— Je peux voir, Ned ? dit le Juge en tendant la main.

— A propos, dit l'adjoint en se mouchant avec un énorme mouchoir bleu, on a eu un appel à la radio, il y a une minute. Zamora est mort, de l'autre côté de la ville. La tête écrasée à coups de gourdin.

— Zamora ? répète le shérif, incrédule.

— Ouais, dit Clint en reniflant. Celui qui avait le bar, vous savez bien, le gros bonhomme. Sa baraque a été complètement ravagée aussi. Sa femme et ses gosses en sont à moitié dingues. Impossible de leur tirer un mot.

Le Juge regarde les visages sur la photo que lui a montrée le shérif. Toute abîmée à force d'avoir été longtemps dans une poche. Il la regarde longtemps, intrigué... C'est bizarre...

Le vent lui arrache la photo et l'emporte de l'autre côté du chemin, dans les herbes.

— Ça ne fait rien, dit le shérif. Il n'y avait rien à en tirer. Allez, Clint, ajoute-t-il en montrant le corps de M. Bailey. On ne peut pas le laisser ici.

— Il faut qu'on aille chez Zamora, voir un peu tout ce cirque.

Le Juge regarde toujours la photo, qui s'est arrêtée dans les buissons.

— Vous savez, M. le Juge, dit le shérif, il y a combien... mettons une bonne vingtaine d'années que je suis shérif ici, et ce... ce Bailey et les deux ivrognes, et l'autre mort, ça fait plus de cadavres que je n'en ai vu pendant toutes ces années. Ça pleut à verse, on dirait. Allez, Clint, on y va.

25

HARRY A DU MAL A CROIRE QUE TOUTES LEURS affaires tiennent dans ces quelques colis à côté d'eux à l'arrêt de l'autocar : la pile de cartons, les deux vieilles valises ficelées, et la petite valise métallique. Tout, sans compter le chariot rouge et le vieux vélo bleu qu'il avait presque en mains maintenant. Il n'y aurait pas eu de place sur le car, et maman leur a promis de leur acheter un chariot et un vélo neufs une fois à Wichita Falls.

— Bonjour, Jean ! dit Nita aimablement.

Mme Lester, son bébé dans les bras, attend l'autocar avec sa mère, deux de ses belles-sœurs et son beau-père. Elle s'exclame :

— Nita ! Nita ! Jack arrive aujourd'hui !

Une minute plus tard, l'autocar tourne le coin et Harry voit une béquille en bois qu'on agite à une fenêtre.

— Le voilà ! crie une des sœurs.

Toute la famille se précipite :

— Jack... Jack, murmure Jean.

Le soldat de 2ᵉ classe Jack Lester, grand et mince dans son uniforme, descend du gros autocar, comme il peut avec la jambe qui lui reste et sa béquille. Il fait un sourire, puis il rit franchement. Jean pleure en l'embrassant. Ses deux sœurs aussi. Son père lui serre la main et lui donne des tapes dans le dos, et la mère de Jean lui tend le bébé.

Harry regarde le père lever en l'air ce fils tout petit qu'il n'a jamais vu ; il le lève au-dessus de sa tête, à bout de bras, et puis il le serre très fort sur sa poitrine. Il dit :

— Papa est revenu !

Et il embrasse son fils sur la joue.

La gorge serrée, Harry regarde ailleurs. Il demande :

— C'est le moment de monter dans le car, maman ?

Il est un peu perdu parmi tant de choses qui sont arrivées depuis deux jours. Il cherche à s'y retrouver, à penser à quelque chose qui ne lui donnerait pas envie de pleurer. La bagarre avec les joueurs de billard. La bagarre avec le Jap dans la cour, quand maman s'est mise tellement en colère. La corbeille des œufs cassée. Le départ de Teddy, qui est monté dans une voiture sur la route et qui est parti. L'annonce brutale de leur déménagement, pour aller à un endroit dont il n'a jamais entendu le nom, très loin dans le nord, Wichita Falls. Les adieux à M. Bailey, en se doutant bien qu'on ne le reverra plus jamais...

Il frissonne, en se rappelant la nuit dernière, cachés dans la pièce devant, dans le noir, avec la grande pièce toute démolie et Henry et maman qui pleurent tous les deux. Et ce matin... les deux joueurs de billard morts dans la cour, près de la porte de derrière. Et M. Bailey, le pauvre M. Bailey, le seul ami qui leur restait...

Il voudrait dormir et tout oublier et se réveiller pour découvrir que tout ça n'était qu'un mauvais rêve. Mais il regarde la coupure sur son doigt et, en se rappelant le goût de son sang, il sait bien que tout ça est bien arrivé.

— Au revoir, Jean ! dit Nita en poussant les enfants vers le car.

Mais Mme Lester embrasse son mari, elle parle, elle rit, elle n'entend pas.

Nita parle un moment au chauffeur des cartons et des valises, et puis ils montent tous les trois dans le car et s'installent à leurs places, Henry sur les genoux de Nita, près de la fenêtre, et Harry du côté de l'allée.

Personne ne dit rien quand le car démarre.

La famille Lester monte dans deux vieilles voitures en riant et en plaisantant. Le père de Jack met la béquille sur le siège arrière.

Soudain, Harry sent dans sa poche la bague que M. Bailey lui a donnée. Il la sort et la regarde. C'est drôle... Il y a des initiales gravées dessus, il ne les avait pas vues : W.R.L. Il demande, en serrant l'anneau dans sa main :

— Maman, qu'est-ce que ça veut dire, W.R.L. ?

— W.R.L. ? répète Nita en se tournant vers lui.

— Oui..., dit Harry en tournant la bague dans le creux de sa main.

— C'était, dit Nita en se retournant vers la fenêtre, les initiales de ton papa.

Harry ouvre les doigts et regarde l'anneau, stupéfait. Et soudain les larmes lui viennent aux yeux. M. Bailey !

— Pourquoi ? demande Nita en baissant les yeux vers lui.

Harry ne répond pas. Il referme ses doigts sur le métal tiède, il les serre bien fort. Papa...

— Harry ? demande Nita.

— Je me demande... maman.

Il s'efforce de lui sourire. Alors elle le prend dans son bras et l'attire contre elle.

Le car prend le virage qui contourne le pavillon. Harry se penche pour un dernier regard par la vitre. Les voitures et les hommes sont repartis.

Henry montre le vieux vélo bleu. Harry lui dit au revoir. Sous l'arbre de Chine, le chariot rouge est retourné, les roues en l'air. Harry leur dit au revoir à tous les deux. Au revoir au perron et aux cabinets. Au revoir à la vache dans son terrain vague. Au revoir au cheval sur le plafond. Au revoir à tout ça.

Le petit carton blanc, celui qui sortait de la poche de M. Bailey et que le vent a arraché aux doigts du Juge pour le jeter dans l'herbe au bord du chemin, s'est envolé quand le car est passé en grondant, soulevé par la poussière des roues, et il a atterri, la face en l'air, une photo aux bords usés, de la taille d'un portefeuille, dans les broussailles du terrain vague.

Lorsque la poussière est retombée, Harry a fini de dire ses au revoir, les trois figures de l'image sourient aux cigales déchaînées dans le ciel bleu éclatant. L'homme balance fièrement sur son épaule le bébé costaud qui rit, et tient solidement la main d'un petit garçon blond de trois ans à peu près, qui sourit d'un sourire ébloui.

Comme le car prend le virage du chemin vers la grande route, Harry s'enfonce dans son siège et fait tourner l'anneau tiède dans sa paume.

Un sourire heureux, secret, qui n'est pas sans ressemblance avec celui du garçon de la photographie, s'étend sur tout son visage, et il ferme les yeux pour se blottir contre Nita.

Son père est revenu, finalement.

IMPRIMÉ AU CANADA